Nuits scientifiques racontées par les oiseaux migrateurs

Les histoires de la lune absente, des trous noirs,

du demon core et du premier poème.

by Takuju Zen

Published by Asahi Press Inc.
3-3-5 Nishi-Kanda, Chiyoda-ku, Tokyo, Japan. 101-0065

Printed in Japan

渡り鳥たちが語る科学夜話

全卓樹

朝日出版社

書物とは人の内なる凍った海を割るための斧なのだ。

——フランツ・カフカ

はじめに

海に潜《もぐ》ったときの一番の驚きは、まわりを泳ぐ魚の艶《あで》やかな美しさである。鮮魚店に並んだ黒ずんだ物体を魚と信じていた都会人には、それは一種の啓示《けいじ》であろう。実際に海洋に乗り出さずとも、その美しさの幾分かは水族館の大水槽でも体験できる。同様に科学の真の楽しみは、科学が作られる現場に立ち会ってこそ体験できるもので、科学について書かれた解説書や啓蒙《けいもう》書のみからは会得しがたい。

生きた科学を生きたままに観察し体験できる科学の水族館があればどんなによいだろう。そんな思いで世に問うた前著が、望外の好評を博《はく》したのに気をよくして、その一種の続編として編まれたのが本書である。それは表題からも明らかであろう。

そこで本書は、構成も様式も前著を踏襲《とうしゅう》している。しかし個々の物語に、前著とは異なった色合い、風変わりな雰囲気、新奇な題材が見出されるようにに努めた。それでも同工異曲と感ぜられたなら、それは筆者の力不足として、読者諸氏の容赦《ようしゃ》を乞《こ》いたい。

もっとも楽しいのは見知らぬ街への旅立ちであるが、見知った街の再訪も条件がそろえば趣《おもむき》がある。そのような条件を本書で少しは整えられたかどうか、希望的観測をするのみである。

各章は独立の短い物語であって、どのような順序で読んでいただいても差し支えない。またもちろん、前著を読まずに本書を手にされても、全く問題ない仕様である。全体を緩《ゆる》くテーマ別に「天体」「極微」「街」「生命」の四つに分けた。前著と比べて幾分長めの話が多くなったため、数が二つ減って20章になりながら、総ページ数は同じである。

実用知識の獲得は別にして、書物の愉《たの》しみは未知の世界を旅することにある。読書とは自らの心の凍土《とうど》をうち砕いて、奥底に眠る異世界を探究し魂に自由を取り戻す旅に他ならない。もしこの書が、読者諸氏の異時空への旅のよきお供となるならば、それは筆者欣快《きんかい》の至《いた》りである。

本書を出すにあたって、朝日出版社第二編集部の大槻美和氏のご助力が不可欠であった。文章の彫琢《ちょうたく》にも挿絵の選択にも支援を惜《お》しまれなかった彼女に、深い感謝を伝えたい。同僚にして指導者である久須美雅昭《くすみまさあき》氏にも特別の謝辞を捧《ささ》げたい。彼の温かいが透徹した視点と忌憚《きたん》ない批評がなければ、ありきたりで凡庸《ぼんよう》な思想が本書のなかにもっと多く発見されたであろう。諸物語の構想にあたっては、須藤靖《すとうやすし》博士、稲葉振一郎氏、ヒュー・シブヤ氏、筒井泉博士から多くの示唆《しさ》をいただいた。ここに謝意を表したい。妻の由美には題材を一つもらった上、本書執筆に絡《から》んで毎日の生活で様々な不便をかけたように思う。すべてを寛大に許容してくれたことに、最後ではあるが最大の感謝の念を伝えたいと思う。

目次

はじめに …… 3

① 天体

第1夜 アステカの陰陽神 …… 10
第2夜 フォンターナと金星の月 …… 18
第3夜 土星の環から霧雨が降る …… 24
第4夜 ブラックホールの旅 …… 32
第5夜 革命家のマルチバース …… 44

② 極微

第6夜　シミュレーション仮説と無限連鎖世界……58
第7夜　デーモンコアと科学の原罪……68
第8夜　天然原子炉とクロダ博士の秘密……76
第9夜　ローラン展開の世界史……84
第10夜　同一者の識別と噴出……88

③ 街

第11夜　帝国興亡方程式……102
第12夜　オマル・ハイヤームの墓……112
第13夜　多数決と冷笑家……120
第14夜　インターネット世論の社会物理学……130
第15夜　位階と不整と文化系統……136

④ 生命

第16夜 石に刻まれた銀杏 …… 150
第17夜 赤い砂漠の妖精の輪 …… 154
第18夜 バックランド司祭と聖蹟 …… 162
第19夜 メンデルと剽窃とフィッシャー統計学 …… 166
第20夜 インドの鶴の神秘 …… 174

参考文献・初出一覧・出典・図版一覧 …… 187

① 天体

宇宙には限りなく多くの希望がある。
しかし私たちのためではない。
――フランツ・カフカ

＊＊＊＊＊＊
第1夜
＊＊＊＊＊＊

アステカの陰陽神

古代メキシコのアステカ神話によると、太陽と月は、燃えさかる二柱の神が天に上ったものである。闇に包まれた世界に光をもたらそうと、神々のなかから選ばれて自ら火に入ったのだ。それで最初の世界では、夜は昼と同様に明るかった。これに不都合を感じた神々が、ウサギを投げつけて一方を暗くしたのが月なのだという。

この荒々しいウサギ文様の由来物語は、青白く静謐《せいひつ》に輝く月の姿に、あまりそぐわないようにも思える。しかしこれは現代天文学で考える月の成り立ちと、実はさほど違わない説話なのである。

月のウサギ文様の実体は、「海」と呼ばれる火山性の溶岩《ようがん》台地である。これは「月の表」つまりわれわれにいつも見えている面にだけあって、地球からは隠れた「月の裏」にはほとんど見られない。

表にだけ溶岩の海ができた原因には、有力な二つの説がある。

第一の説では、まだ地球のずっと近くにあった出来立ての月が、熱く沸騰する地球からの放射を受けたとされる。月の表では火山活動が誘発されて、噴出物が海になったというのだ。

第二の説では、月は実は二つあって、地球に近い方の小さな月が、大きい方の現在の月に衝突したとされる。それによって月の表で火山活動が誘発され、噴出物が海になったという点は同じである。

いずれの説を採《と》るにせよ、どちらもそれは「そもそも月がどのようにできたか」という問いに深くつながっている。

現代の標準的な理解では、月は「大激突」によって創られた。

今から45億年の昔、できたばかりの地球にむかって、大きさが地球の3分の1ほどの別な星が、進行方向斜《なな》め45度から激突したのだという。ぶつかってきた星は粉々に砕《くだ》け飛び散って、その中心部の「核」は地球にめり込んで、地球の核と一体化してしまった。地球からもマントルが砕け散って宇宙空間に放り出される。それは衝突星の破片と一緒になって、やがて地球のまわりを円盤状に取り囲んでまわり出す。沸点の低い水などは蒸発四散してほぼなくなっている。円盤状の破片たちの濃淡のなかで、濃密な部分が重力で他を引きつけて、徐々に集まり固まって月ができた。

激突時のエネルギーの一部は地球のなかに蓄《たくわ》えられて、マントルの対流を生み、強い地磁気を生み、そして地殻《ちかく》の大陸移動を生み出した。地球は活動的な生きた星となったのである。一方、放り出された破片からできた月は、金属核も水もほとんどない、内部活動の少ない死の星となった。

地球の海の満ち潮引き潮を引き起こしながら、時とともに月は地球から遠ざかっていった。地球表面では衝突当初の熱もおさまり、やがて生命活動が始まった。そして月はさながら地球の陰画のように、生気の少ない乾《かわ》いた静かな星となったのである。

＊

第 **1** 夜
アステカの陰陽神

現在の月がほとんど変化のない静穏《せいおん》な星だとしても、地上の生物の視点で見れば、月は変化と律動《りつどう》の天体である。

夢みがちの恋人たちを白銀一色に染める満月。道を急ぐ旅人の上の荒れ模様の雲間を流れる蒼白《そうはく》の半月。刑場に引かれてゆく貴人を地平線で見守る爛《ただ》れた赤い三日月。月の満ち欠けは、瓦斯灯《がすとう》が発明される以前には、人間の夜の生活を支配するただ一つの律動であった。多くの文明にあって、月初めを新月に、月半ばを満月にあてる太陰《たいいん》暦《れき》が広く用いられたことは、実に自然の理《ことわり》である。

満月の夜に産卵する珊瑚《さんご》、月の位相《いそう》に同期して移動する渡り鳥。月の律動は人間以外の多くの生物にも微妙で深い影響を及ぼす。

月の満ち欠けの周期は29・5日で、29日からなる小の月と30日からなる大の月を半々にまぜると、12ヵ月で354日が経つことになる。これが太陰暦の1年であるが、それでは四季を生み出す太陽の周期365・25日と齟齬《そご》するので、月と季節が年々ずれてしまう。このずれを打ち消して、毎年一月を冬に八月を夏にもってくるには、およそ3年に1回、より正確には19年の間に7回、余計な閏月《うるうづき》を入れて1年を13ヵ月にすればよい。そのことに初めて気づいたのは、今から4000年前の古代バビロニア人である。月の満ち欠けの周期と太陽の季節の周期を整合させる、「メトン周期」と呼ばれるこの方法こそが、数理的な天文学の一つの始まりであった。

夜空を支配する月の輝きは、地球に生命を生み出し、その夜の周期を司《つかさど》り、さらには知的生命体の文明の開花にも決定的な役割を果たしたのである。

*

望月《もちづき》の夜がいくら明るいと言っても、それを昼と比べることはできない。月の明るさは太陽の明るさの40万分の1しかない。ウサギを叩きつけたことでこの違いを説明するのは困難である。もちろんこれは月が自ら光を発せず、太陽の光を反射していることの反映なのである。見かけの大きさは同じでも、実際の太陽の大きさは、月の400倍、重さは3千万倍である。アステカに限らず古代の多くの天文思想で、太陽と月とが対等の一対と認識されてきたのは、間違った古い世界認識なのだろうか。

現代の天文学では、赤外線、紫外線、X線、ガンマ線といった可視光以外の光で宇宙を眺める。それによって初めて深宇宙の実相が人間に開かれてきたのである。

２００8年に新たに稼働し始めた「フェルミ・ガンマ線望遠鏡」を用いて31メガ電子ボルトの高エネルギー・ガンマ線で全天を走査したところ、一つの予期せぬガンマ線源が見つかった。それは月であった。ガンマ線で見た月の明るさは、太陽の明るさを超えていた。これは太陽がこのエネルギーのガンマ線をあまり放出しないのに対し、高エネルギー宇宙線を浴《あ》びた月表面が螢光《けいこう》ガンマ線を放出するためであった。これは月表面の岩石や砂粒を構成する個々の原子が、宇宙線との衝突で高いエネルギー状態に達して、そこから元の状態に戻る際に、エネルギー差をガンマ線として放出する現象である。

光のスペクトルの領域の広大さを考えれば、どの波長、どのエネルギーの光で見るかによって、星々の相対的な明るさはいくらでも変化する。将来的にはガンマ線望遠鏡を用いることで、通常は恒星《こうせい》の光に隠れた未知の惑星や衛星の検知ができるようになるかもしれない。

太陽と月とを同格の陰陽一対と見做《みな》したアステカの神官たちが、遠い未来の人類のガンマ線天文学を予知していたと考えるのは、とても愉《たの》しい夢想ではないだろうか。

第 1 夜

アステカの陰陽神

＊＊＊＊＊＊
第2夜
＊＊＊＊＊＊

フォンターナと金星の月

フランチェスコ・フォンターナは17世紀を生きたナポリの法律家である。彼はナポリ王国の法廷に勤《つと》めながら、法律のなかには世界の真実を見いだせないと感じていた。ボローニャ人ガリレオの天界における数々の新発見と、それがもたらした異端審問《いたんしんもん》の話を聞き及んで、フォンターナは星の世界の探索をこころざした。自ら磨《みが》いたレンズで当時最高性能の望遠鏡を作り上げた彼は、法務のかたわら数年にわたる観測の末、月表面の詳細な地図を描き上げた。そしてそれを美しい装丁とともに、著書『新しい天界と地界の観測』として出版した。そこには他にも、彼が初めて発見した木星の縞《しま》模様や火星の痣《あざ》、さらにまた金星の満ち欠けの様子が、今の基準で見ても正確な銅版画で描かれていた。

しかしフォンターナの天文学者としての名を高めた最大の発見は「金星の月」である。それは1645年のことであった。金星の8分の1ほどの大きさの衛星が、三日月型の金星本体のまわりを動きまわる様子を、彼の書の図版に見いだすことができる。フォンターナの衛星はその後も百年以上の間、カッシーニやラグランジュといった多くの著名な天文学者に追認され、「ネイト」の公称を与えられた。斃《たお》れた兵士を守る古代エジプトの戦の女神の名である。17世紀おわりにはネイトの軌道要素も確定した。それによると直径は金星の4分の1、公転周期は11日、公転半径は金星半径の67倍で、公転面は黄道面に対し64度傾いている。

話が怪《あや》しくなったのが百年以上経った1760年代である。当時の天体観測の第一

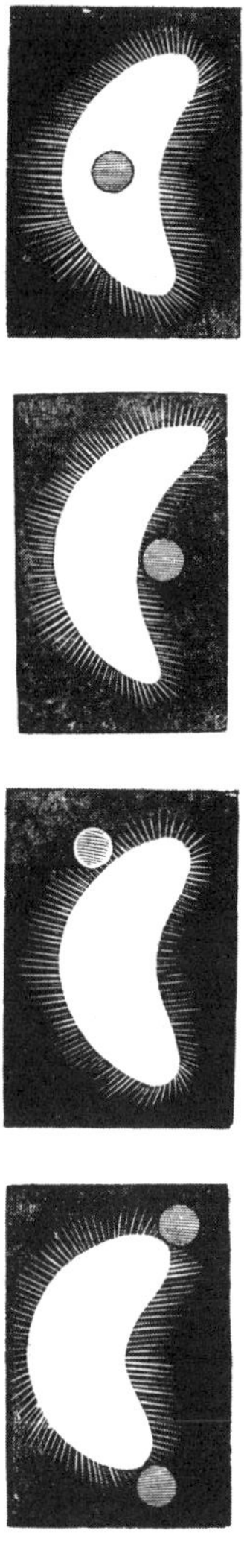

人者ハーシェルが、何度も試みた末、金星の月ネイトを一度も見つけられないと訴えていた。多くの追認の試みがおこなわれた。１７６１年に５人の観測家による18例のネイト観測があったものが、１７６４年には２名による８例に減り、１７６８年にはコペンハーゲンでの報告１例だけとなった。その後ネイトの観測記録は途絶えた。

発見から二世紀半たった１８８７年、ベルギー科学アカデミーが記録の調査に乗り出し、詳細な報告書を作成した。それによると、これまでの観測記録はほぼすべて、金星近くの恒星《こうせい》の見間違いで説明できるのだという。現在では金星に衛星は存在しないと確定している。

＊

この話には不思議な続きがある。今はもう存在しないとしても、大昔の金星には月があったかもしれないというのだ。地球とほぼ同じ大きさで、軌道もそう違わない金星である。地球を含むほとんどの惑星に月があるのに、なぜ金星にはないのか、考えてみれば不思議ではないか。

第**2**夜

フォンターナと金星の月

一つのロマンティックな可能性が、水星が実は金星の衛星だったという説である。太陽の強い引力を受けて、金星からどんどん離れて、しまいに引き剝《は》がされたというのである。ヴァン・フランダーン、ハリントン両博士は、徹底的な多体《たたい》問題シミュレーションをおこない、水星の金星衛星起源説を排除できないという報告を、1976年におこなっている。しかし天文学者の間でこの説への支持は多くない。主要な難点は、水星が金星よりだいぶ高密度で、両者の金属組成《そせい》が異なるという事実である。

より有力視されている説は、昔あった衛星ネイトが金星に衝突したというものだ。この説の強みは、金星の特殊な自転を説明できることである。地球を含む太陽系のほぼすべての天体が、自転も公転も同一方向にまわっているのに対し、金星の自転だけが逆方向なのだ。そして自転速度は非常に遅く、公転周期より少し長い243日、ほぼ止まって自転がないと言いたいほどである。2006年にネイト＝金星衝突説を唱えたアレミ、スティーヴンソン両博士によると、これを説明できるシナリオは、次のものだけだという。まず第三の天体が金星本体に衝突して、金星の自転が逆回りになる。自転とネイトの公転が逆向きなため、潮汐力《ちょうせきりょく》はネイトを徐々に金星に近づける。両者の衝突合体で角運動量が相殺《そうさい》されて、金星の自転がほぼ止まってしまう。そのような衝突の証拠は金星表面にクレーターや融解《ゆうかい》の跡として残るはずで、現在計画中のNASAの新計画「ダビンチ・プラス」などで今後の金星探索が進めば、説の正否がはっきりしてくるだろう。

しかし一体、フォンターナは何を見たのだろうか。望遠鏡をのぞき込んでタイムスリップしたのか。太古《たいこ》の月影が金星をかすめる姿が、真実を求め続けたフォンターナの魂《たましい》に、何十億年の時を経て幻視されたのだろうか。

1656年、イタリア諸邦の他の街と同様に、ナポリの街を黒死病が襲った。七月、フランチェスコ・フォンターナは病に斃れた。享年《きょうねん》54歳。時をおかず彼の妻が、そして子供たち全員が犠牲となった。フォンターナ一家の墓所の所在は知られていない。

＊＊＊＊＊＊
第３夜
＊＊＊＊＊＊

土星の環から霧雨が降る

土星の環《わ》の美しさは天空を彩《いろど》る諸天体のうちでも比類《ひるい》がない。宇宙観光がさかんになった近未来を考えてみると、仮に土星の環がないとしたら、太陽系の魅力は半減するに違いない。地上の観光に喩《たと》えるならば、それは春に桜の咲かない日本のようなものだろう。

土星の環の特徴はその大きさと明るさである。「A環」と呼ばれる明るい環の外枠の直径は27万km、月の直径の80倍ほどである。仮に月に代えてそこに土星を置いたなら、夜は魔術的な白夜《びゃくや》のような明るさだろう。この荘厳《そうごん》な仮想の月がのぼるとき、環の外周は地平線の両端まで180度の4分の1近くを覆《おお》ってしまう。想像するだけで戦慄《せんりつ》を覚える光景ではないか。昼空ではその環はさながら銀色の虹のようであろう。

第3夜
土星の環から霧雨が降る

土星の環の明るさは、それが光をよく反射する大小の氷の塊《かたまり》でできていることに由来する。大きさに比《ひ》した環の薄さは驚異的で、わずか１㎞ほどしかない。氷塊《ひょうかい》は千分の１㎜から10ｍほどの大きさで、これらの塊はお互いぶつかり合い、大きな塊を作っては壊れながら、全体として土星のまわりを周回している。

　このような氷塊の無数の集まりが、力学的に見て安定であることは、電磁気学の完成者ジェームス・クラーク・マクスウェルが、１５０年以上前、すでに証明していた。しかしこの環が、いつ、どのようにしてできたのか、長らく謎であった。

*

土星の環の起源を探るための重要なヒントが、環のすぐ外をまわっている四つの衛星にあることに気づいたのが、19世紀のフランスの天文学者エドゥアール・ロッシュである。内側からミマス、エンケラドゥス、テティス、ディオネの四衛星は、どれも氷でできていて、内側ほどその純度が高い。そのどれよりも氷の純度の高い環は、本来五つあった氷の衛星の、一番内側のものだったのではないかとロッシュは疑った。

彼は土星が衛星に及ぼす「潮汐力《ちょうせきりょく》」、すなわち土星に近い衛星表面での重力と、遠い表面での重力との差を計算して「ロッシュ限界」という概念に到達した。衛星の軌道半径がロッシュ限界を下回ると、潮汐力が強すぎて、衛星が粉々に破壊されてしまうのである。そして案の定、土星におけるロッシュ限界は、環とミマスのちょうど間だったのである。

残る謎は、環となり衛星となった氷が、いつ、どこから来たのかという問いである。

これには二つの説がある。一つ目の「古い環」説では、環も衛星も、45億年前の太陽系原初の雲から、土星本体と同時にできたと考える。二つ目の「新しい環」説では、長らく氷の衛星として土星をまわっていたものが、比較的最近（というのは数億年前に）、何らかの理由でロッシュ限界を超えて内側に入り、破壊されて環になったとするのである。ロッシュ自身は第二の説を採《と》っていて、破砕されたはずの衛星に「ヴェリタス」という名前まで与えていた。

２００４年に土星に達した惑星探査船「カッシーニ」は、13年のあいだ土星を周回して、２０１７年9月15日、すべてのミッションを終えて、土星の流れ星となって燃え尽きた。カッシーニが土星突入直前におこなったのが、土星本体と環のあいだをくぐり抜ける大技であった。その結果土星の起源の謎に迫る、二つの貴重な測定値がもたらされた。

一つは環の質量である。土星本体からの重力と、環からの重力を考えると、カッシーニが環の外にいるとき二つの方向は一緒であるが、環の内側では、両者は逆方向である。重力の強さは質量に比例するので、外側と内側での重力の差を測ることで、環の総質量がわかるのである。測定の結果得られた値は$1.54 (\pm 0.49) \times 10^{19}$ kgで、これは土星質量の40億分の1ほどである。そしてこれが、土星の環の年齢を推定する鍵となった。

すべての天体と同様、土星の環も年を経ると赤茶けた色を帯《お》びてくる。放射線や宇宙塵《じん》が降り積もるためである。一方で、環を構成する氷の塊が絶えず衝突し、環の表面と内側が循環することで、環の変色は抑《おさ》えられる。そしてこの循環は環の総質量が大きいほど多く起こり、モデル計算によって環の変色の遅延と総質量とを関係づけることができる。そのようにして、現在みられる環の明るさと、環の総質量の測定値を合わせて考えて、土星の環の年齢は1千万年から1億年の間だと推定された。どうやら土星の環は極めて若いのだ。

カッシーニが土星の環の下をくぐり抜けて得た、もう一つの重要な測定値が、環から土星にむかって落ちてくる水の量である。環のなかの水分子は氷塊同士の衝突で少しずつエネルギーを失う。そして環からは音もなく土星の赤道にむかって、昼となく夜となく霧雨《きりさめ》が降り落ちる。カッシーニの測定では、環から滴《したた》り落ちる水の総量は、毎秒4800〜45000kgであった。中央値をとると、これは半時間ごとにオリンピック公式プール相当の水が、環から失われていることを意味している。他の質量喪失メカニズムと合わせて考え、この分で水が減っていくと、今後土星の環は急速に痩《や》

第3夜

土星の環から霧雨が降る

せ細ってしまい、1億年もしない間に消滅してしまうという計算になる。
土星のこれまで45億年の生涯において、輝く氷の環を帯びているのは、僅《わず》か1〜2億年の間だけなのだ。これが探査船カッシーニのもたらした、最新のデータの示唆《しさ》することであった。どうやらわれわれ人類は特別の幸運に恵まれて、美しい環をもった土星に巡り合ったようである。数億年前に生きて滅んだ恐竜たちにとっても、数億年ののち人類の後に来る知的生物にとっても、土星は他の星と変わらない球体にすぎないだろうから。

*

ここまで書いて、話をどう終えたものかと思案した末、残りは明日にして今日はもう帰宅しようと決めた。春雨《はるさめ》の午後だった。駐車場へ向かう並木道で、細い雨にまじって、満開をすぎた「陽光桜」の花びらが、ここ一つあそこ一つと舞い落ちて、道端をすっかりピンクに染めていた。留学生とおぼしき若い男女が、枝に残る花にスマホのカメラをむけて、スペイン語で語り合っているのが聞こえた。

――今夜のうちに花はみんな散り落ちちゃうね。明日はもうなさそう。

――残念な雨だけど、でもまだ花が残っててラッキーだね。こんな桜が見られるのは、1年52週のうちのたった1、2週間だけと聞いたし。

――あっ、見てよあっち。なんて綺麗な！


北の空に目を向けると、土佐《とさ》山系を背景にした水田の上に、目の覚めるように鮮《あざ》やかな半円の虹がかかっていた。なんという心浮き立つ眺《なが》めだろう。

幸運な異国の若人《わこうど》たちよ、今この時を楽しむのだ。この輝く円弧《えんこ》は、瞬《またた》く間に消え去る定めなのだから。

＊＊＊＊＊＊
第4夜
＊＊＊＊＊＊

ブラックホールの旅

それはムガール帝国落日の始まりであった。

1756年初夏のある日、ベンガル太守シラージ・ウッダウラはウィリアム砦《とりで》からの退去命令に従わないイギリス東インド会社軍部隊の殲滅《せんめつ》を命じた。砦を包囲したベンガル軍大部隊との戦闘ののち、情勢不利と見た会社軍は包囲の穴をついて逃走したが、取り残された70人ほどの兵士が捕虜となった。ベンガル軍司令官は自軍の戦死者の多さに苛立《いらだ》っていた。夕闇のせまるころ、石壁で囲まれた6m四方ほどの小さな牢獄に、捕虜全員がぎゅうぎゅう詰めに押し込められた。うめき声に怒声が混じるなか、石の扉にかんぬきがかけられ、小さな二つの窓も固く閉ざされた。

夜明けとともに密閉地獄が開かれると、なかから窒息死体、圧死体が溢《あふ》れ出た。凄《せい》惨《さん》な情景であった。生き残って釈放された少数のなかに軍医ジョン・ホルウェルがいて、彼が東インド会社に送った報告書を元に、恐怖物語「カルカッタのブラックホール」が新聞に掲載された。英国世論は沸騰《ふっとう》した。

時をおかず、マドラスにあった東インド会社軍主力が、ロバート・クライヴ大佐に率いられて復讐戦に向かった。そして半年に及ぶ包囲ののちカルカッタは落城する。近郊プラッシー村での決戦でベンガル軍は全滅し、捕らえられた太守シラージは即刻処刑された。もはや東インド会社に対抗できる勢力は残っておらず、デリーの皇帝アーラムギールの主権は名目のみとなったのである。インドは深い闇に沈んでいった。

＊

それから1世紀半以上の時が経った1930年の秋、マドラスを発ってイギリスへ向かう船に青年物理学者スブラマニアン・チャンドラセカールの姿があった。カルカッタの大英帝国インド政庁の奨学金を得て、ケンブリッジ大学の博士課程に留学するためである。マドラス大学在学中の論文の著者として、彼の名はすでに英国王立物理学会誌を飾っていた。

　2週間を超える船旅である。チャンドラセカールは「シリウスB」の量子力学的計算に没頭していた。全天で最も明るい星シリウスをまわる、薄暗く光る小さな伴星《はんせい》のことである。太陽を半径10kmほどに縮めたこの種の星は「白色矮星《わいせい》」と呼ばれ、これは通常の星が死んだ後の第二の生の姿である。核融合《かくゆうごう》反応で水素が燃え尽きると、温度が下がり星は収縮して「縮退《しゅくたい》フェルミ気体」と呼ばれる圧縮状態になるのだ。

　この高密度状態のなかでは電子の速度が光速近くになる。簡単な勘定で彼はそう気づいた。その場合は当然に相対性理論に基づいた計算が必要になる。この事実になぜ誰も思い

至らなかったのか、チャンドラセカールは訝《いぶか》しく思うのだった。大海原《おおうなばら》と青年科学者の上を、太陽と星々が幾度となく巡っていった。

船がアデンの港に差しかかったある日の午後、彼は「相対論的な縮退フェルミ気体」が満たすべき新しい状態方程式を得た。結果は驚くべきものであった。太陽の1・4倍の質量を超えた星が収縮するとき、縮退フェルミ気体はもはや重力を支えきれず、安定状態は得られない。つまり白色矮星の質量には上限があるというのである。質量上限を超えた星が死んで収縮するとき、いったい何が起こるのだろうか。重力で縮《ち》んだ星の残骸物質が、猛烈な勢いで空間の一点に集まり、星が忽然《こつぜん》と消え果てる様子を想像して、チャンドラセカールは身震いを覚えた。

画期的研究を携《たずさ》えて新天地に到着した彼は、すぐに論文執筆に取りかかった。ところがケンブリッジで彼を待っていたのは無理解と孤立であった。天体物理学の絶対的権威であった主任教授アーサー・エディントンが、わざわざ学会での彼の発表のときを選んで、口を極めてチャンドラセカール理論を非難したのである。「相対論的フェルミ縮退など存在しない」という断言の前に、チャンドラセカール擁護を買って出るものは誰もいなかった。

チャンドラセカールは質量限界を超えた重力崩壊物体の研究を封印し、他の問題に向かうことにした。彼の才能はエディントンを含む全員が認めざるをえなかった。博士号を与えられてすぐ、彼は権威あるトリニティ研究員の地位を得た。しかし理不尽にくり返されるエディントンの重力崩壊否定論や、イギリス人同僚たちの取り澄ました様子に嫌気がさしたのであろうか、数年して彼はアメリカのシカゴ大学に転出してしまった。チャンドラセカールが高密度星の末路の問題に戻るのには、長い年月を待たねばならなかった。

＊

重力崩壊物体の数学的理論がすでに存在することに、エディントンを含む多くの物理学者は気づいていた。それは「シュヴァルツシルト解」である。1915年初頭、ロシア戦線にあったドイツ軍中尉カール・シュヴァルツシルトが導出した、一般相対性理論のはじめての厳密解であった。彼はそれを皮膚の奇病による死の4ヵ月前、毒ガスの漂《ただよ》う塹壕《ざんごう》のなかで得たのだ。この不思議な解は、特異な一点に無限密度で集中した質量とそのまわりの歪《ゆが》んだ空間を表すが、特異な点を囲む「事象の地平線」と呼ばれる奇怪《きかい》な球殻《きゅうかく》をもっている。その殻は方向性をもち、外から中に抜けることはできても、中から外へは何ものも抜けることはできないのである。球殻の半径、すなわちシュヴァルツシルト半径は非常に小さく、仮に太陽質量が一点に集中したとすれば、それは3kmとなる。

チャンドラセカールの限界を超えた質量の星が死ぬとき、それはどこまでも収縮して、ついにはシュヴァルツシルト半径より縮んでしまう。その絶対的な暗黒からは、いかなる物質も信号も、光さえも出てこないだろう。アインシュタイン自身たんなる数学的存在と見做《みな》していたシュヴァルツシルト解は、巨星たちの墓標《ぼひょう》である重力崩壊物体として宇宙に遍在している。今や常識であるこの認識が学界で広まるのには、1970年代を待たねばならなかった。ロジャー・ペンローズとスティーヴン・ホーキングによって重力崩壊の厳密な数学的理論が整備された後のことである。

シュヴァルツシルト半径より縮んでしまった暗黒の重力崩壊物体を「ブラックホール」と呼ぶ習わしは、プリンストン大学教授ロバート・ディッケの1963年の発言に由来するとされる。彼が何かの折に重力崩壊物体に触れて「まるでカルカッタのブ

ラックホールのようだ」と表現したものが、週刊誌『ライフ』記者のアン・エーウィングによって広められたというのである。

ブラックホールの実在が広く語られるようになったころ、大戦で疲弊《ひへい》した大英帝国はすでに衰《おとろ》え、インドは主権を回復していた。チャンドラセカールは故国訪問のたびに英雄としての歓呼《かんこ》を受けた。1983年、彼はそれまでの研究の集大成である著書『ブラックホールの数理』を上梓《じょうし》した。同年、チャンドラセカールにノーベル賞が与えられた。

*

光を出さないブラックホールであるが、重い質量をもつ以上、周囲に強い重力を及ぼす。一般相対性理論にしたがえば、二つの質量を引きつける通常の万有引力に加えて、「重力波」と呼ばれる重力作用が存在する。これは重力源が速度を変えつつ運動するときに発生する空間の歪《ゆが》みの波である。電磁気の相互作用において、プラスとマイナスの電荷を引きつけるクーロン力以外にも、速度を変化させる電荷が引き起こす

「電磁波」があるのと類似の現象である。

回転運動では速度の方向が絶えず変化するため、太陽のまわりを回る地球もごく弱い重力波を放出している。重いブラックホールが二つ互いのまわりを近距離で周回していれば、はるかに強い放出エネルギーのため、二つは数百万年でシュヴァルツシルト半径近くまで接近してしまう。螺旋状軌道《らせんじょうきどう》を描いて互いに吸い寄せられるブラックホールの速度は光速に近い値となる。二つのブラックホールがシュヴァルツシルト半径以下に近づいて一つに融合する直前、発せられる重力波はとてつもない強さとなる。それはわれわれが今見ているすべての星の発する可視光エネルギーの総和を超えるほどである。

ブラックホール二重星の合体で発する強大な重力波は、気の遠くなる時空を旅した末に、極微小のさざなみとなって地球に到《いた》る。今日の技術の粋《すい》を集めればこのさざなみを検知することができるはずだ。20世紀末のそのような算段に基づいて、21世紀のアメリカの科学者たちが重力波検出システム「LIGO（ライゴ）」を組み上げた。

それは「マイケルソン干渉計」と呼ばれる空間の歪《ゆが》みを検出する装置である。LIGOではあらゆる雑音を打ち消す現代の極限技術を総動員することで、水素の原子核の大きさの５００分の１の歪みまで検出が可能である。

ＬＩＧＯでは同一な装置を二台作って、一台をルイジアナ州リビングストンに、もう一台を３０００km離れたワシントン州のハンフォードサイトにおいた。２０１５年９月14日、仮稼働開始の４日目にいきなり最初の重力波イベントが検出された。０・２秒の間に８周期、空間が伸縮する振動が急激に増幅して減衰《げんすい》する信号であった。振動パターンと理論的シミュレーションとの照合によるイベントの同定が即座におこなわれた。それは14億光年の彼方《かなた》で起こった、太陽質量の35倍と30倍の二つのブラックホールの合体に起因する重力波であった。

翌２０１６年６月15日、ＬＩＧＯは二つ目の重力波イベントを検出した。ほどなく欧州連合のVirgo、日本のＫＡＧＲＡの二つの重力波検出器が稼働を始めた。２０２２年初頭の現在まで、三ヵ所合わせてすでに80を超えるブラックホール合体が観測されている。２０２３年にはインドの重力波検出器IndIGOも動き出す。

ブラックホールからの重力波で、われわれの視界が数十億光年の先まで広げられた。宇宙の隅々に重力波の灯台がおかれているようなものである。重力波はブラックホール二重星からとは限らず、銀河中心の超重量ブラックホール、球状星団中心の中間サイズのブラックホール等からも発せられる。これらの検出がわれわれに見せてくれる新しい宇宙像はどのようなものだろうか。

想像するだけで鼓動の高まるこのような可能性を追って、検出器を搭載した宇

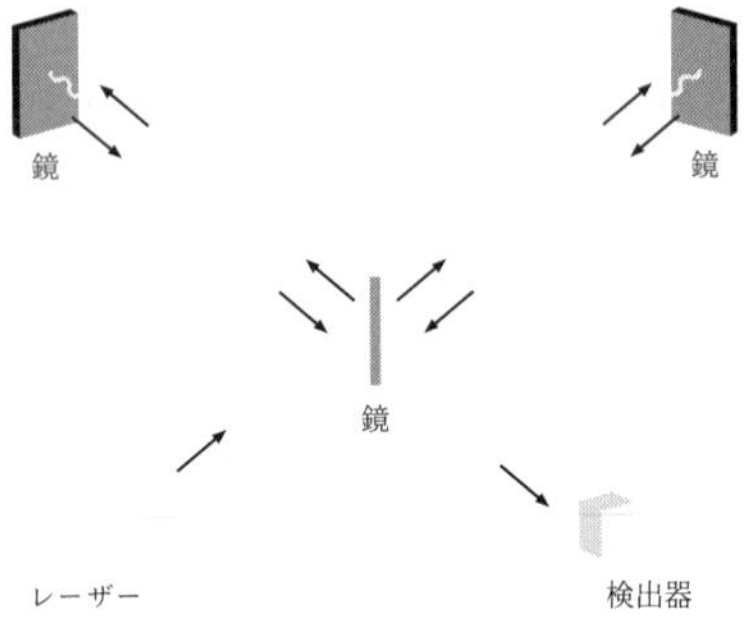

LIGOのマイケルソン干渉計は、真空に保たれた4km長の光の導管二つが、片方の先端を直角に繋がれた「く」の字型の装置である。直角の接続部にレーザー発射装置がおかれ、そこを出て二筋に分けられたレーザー光は、各々の導管を伝わって先端の鏡に反射されて戻ってくる。戻った光は合わせられて干渉模様を作る。重力波がこの装置を通過すると、両方の導管の長さが異なった様子でわずかに伸び縮みして、二筋のレーザーの作る干渉模様の時間変化をもたらすのである。

宙船を衛星軌道において、精度を格段にあげる次世代計画が進んでいる。ＬＩＳＡと呼ばれるこの計画は２０３５年の稼働開始が見込まれている。ブラックホールにとどまらず、近隣の白色矮星二重星からの重力波検出まで視野に入るという。光学観測との併用で、恒星構造研究に格段の進展があるだろう。

悪魔的稠密《ちゅうみつ》として始まったブラックホールは、星界を探る最強の望遠鏡を人類に与えた。深宇宙天文学のあたらしい夜明けである。

＊＊＊＊＊＊

第5夜

＊＊＊＊＊＊

革命家のマルチバース

大音声のバリトンが部屋中に響いた。

――われわれの宇宙の向こうに何があると思いますか。

私は慌《あわ》てて音声のボリュームを下げた。コンピュータのスクリーンに映った、艶《つや》やかな髪が若々しい初老の紳士《しんし》のにこやかな顔は確信に満ちていた。聴衆の皆が固唾《かたず》をのんで各々の画面を見つめている気配が感じられた。この講演は数日前からSNS上で炎上気味の話題になっていた。ウェブページの掲示にこうあったのである。

須藤《すとう》靖《やすし》教授講演会「マルチバース的世界観」

概要：科学では、どれほど優《すぐ》れた理論体系であろうと実験結果と矛盾すれば直《ただ》ちに

間違った理論として却下される。しかし間違っているのは理論ではなく、この宇宙なのではないだろうか……。

「理工学のフロンティア」と名づけられた高知工科大学の定期セミナーで、聴衆は大学院生中心の30名ほど、演者は東京大学で物理学を講ずる宇宙論の権威である。ご時世柄、演者は東京、聴衆は高知はじめ全国に散らばっての遠隔講演である。

一息おいてから、須藤博士が話し始めた。

宇宙の時空はおそらく無限に広がっているでしょう。ところがわれわれに見えるのは半径138億光年の球のなかの部分だけです。なぜならばわれわれの宇宙が始まってまだそれしか時間が経っておらず、さらに遠くからの光は到達していないから。球の外についての情報はわれわれには皆無なのです。

しかしその138億光年の球で宇宙が終わって、その外が虚空だということがありうるでしょうか。むしろ同じように銀河たちが分布していると考えるほうが自然ではないか。一方、われわれの宇宙がビッグバンから始まった有限なものだとすれば、それはどこかでだんだん薄まって、しまいに終わっているでしょう。

それから先の時空には何があるのでしょうか。一番可能性が高いのが、われわれの宇宙と類似の別なビッグバンで始まった別な宇宙があるのではないか。それら宇宙は無数にあって、無辺の時空を満たしているのではないか。このように推測された世界を「レベル1のマルチバース」と呼びます。「マルチバース」は宇宙すなわちユニバースが複数あるという意味で、「多元宇宙」と呼ぶこともあります。


須藤博士は高知の海辺の写真を見せながら語る。これは私の生まれ育った故郷の海です。ついでフランス国旗をかかげた漁船がいくつも停泊する綺麗な港の写真を見せて言った。

東京で学んで物理学者になって、初めて参加した国際学会で訪れたのが南仏のトゥーロンでした。海辺に行って既視感を覚えました。細々と違う点はあったけど、まわりの様子は驚くほど郷里の海に似ていました。同じことは翌年の学会で行ったアメリカ南部のサウス・キャロライナでも経験しました。世界中の海辺の街の海岸は、どこも懐《なつ》かしい高知の海岸に似ていました。地球のどこも陸地は同じようなつくりで、そ

第 5 夜

革命家のマルチバース

こに住む人間も本質的にはどこでも同じようなので、これは当然といえば当然です。

しかし、と須藤博士は続けた。では月に行ったとしたらどうでしょう。そこにはそもそも海がない。火星にも海はない。海があるらしい木星の衛星タイタンに行くと、そこの赤い空の下の岩の散らばる岸辺の様子は少しだけ地球に似ています。しかし極寒の海を掬《すく》ってみると、それは水ではなくメタンです。

仮にわれわれの近辺がわれわれと似たような宇宙でいっぱいだとしても、数兆数京光年のはるか彼方《かなた》では、物理法則自体がわれわれのものとは違っていて、そこにある宇宙のなかの銀河の様子も星々の様子もわれわれと全く異なるということを期待すべきではないでしょうか。

例えば重力や電気力の強さが異なっているかもしれず、また例えば万有引力は距離の逆２乗ではなく逆４乗に比例しているかもしれない。レベル１マルチバースをたくさん含む、それぞれ様子の異なった時空の領域が無数に存在しているのではないでしょうか。その各々の領域は宇宙を要素とする大宇宙であって、その大宇宙たちが無数に集まったのが世界全体だ。これが「レベル２マルチバース」の考え方です。

ちなみに「レベルＸマルチバース」という言葉を最初に使ったのは、ＭＩＴ（マサチューセッツ工科大学）のスウェーデン人物理学者、マックス・テグマークです。こう言いつつ須藤教授がzoom《ズーム》の画面に映写した、宇宙を内に含む大宇宙を数多く集めた、多世界の迷宮の極彩曼陀羅《まんだら》を見ていると、意識が朦朧《もうろう》となりそうだった。

彼の声は続いた。「レベル3マルチバース」については、くわしい説明はしないことにしましょう。それは量子力学のエヴェレット解釈でいう並行多世界を、時空のなかに実在する無数の宇宙たちと同一視する推測です。今日は量子力学の専門家の谷村省吾先生が、名古屋大学からわざわざ参加されてこの講義を監視しているようなので、迂闊《うかつ》なことを言うと炎上してしまいそうですから。そういって早流しに飛ばしたスライドに、「量子自殺」の文字が見えた。

谷村博士の顔が一瞬画面に大写しになって、彼の快活な声が聞こえた。別に私が何か言わなくても、ネット上では要旨だけですでに大炎上してますから。でもわかりました、私も「レベル4マルチバース」を聴きたくてうずうずしてるので続けてください。

よろしいです、と須藤博士は続けた。レベル4のマルチバースは、レベル2の一種の変形ですが、もっとずっと過激なものです。それぞれがレベル1マルチバースを多数含む大宇宙がたくさん集まって世界ができている、という考えまでは同じなのですが、それぞれの大宇宙ごとに異なるのが、物理定数や物理法則だけだと考える必要があるのでしょうか。もちろんそういうものも無数にあるでしょうけど、もっと根本的に違うものを考えてもいいのではないでしょうか。大宇宙ごとに素粒子のつくりが違ってもよい、そもそも嵩《かさ》のある物質などなく波動《はどう》だけで満たされているものがあってもよい。空間の次元自体が大宇宙ごとに異なっていてもよい、さらには大宇宙を支配する物理法則が基づくべき論理構造すら違っていてもいいのではないか。内部に矛盾があって破綻しないかぎり、どんな論理体系で構成された大宇宙も世界のなかにあると想定すべきではないか。

われわれの宇宙に似た宇宙たちからできた「われわれの大宇宙」のとなりに、われわれとは没交渉なまま全く別な数学的構成原理から作り上げられた別な大宇宙がある。世界全体は、人間に考えられるかぎりの、いや考えられないものも含めて、数学的に辻褄《つじつま》のあったあらゆる論理と法則でできた、すべての大宇宙の集まりでできているのではないか。これが「レベル4マルチバース」です。

沈黙が訪れた。チャット欄に谷村教授の書き込みが見えた。

「高知工科大のセミナーは、高知らしく自由な話題と聞いたけど、ここまでぶっ飛んだ話を聞かされるのは、学生さんたちにとって……。いやなんというか、全卓樹教授は実に心の広い方だ」

彼の抑えた激しい苛立《いらだ》ちがスクリーンから伝わってきた。須藤博士の顔は強張っていた。仕方なく私が口を開いた。今の話を逆に考えたら、想像しうるあらゆる論理体系は、それ自身を実在とみなせる、という結論になってしまいませんか。

須藤博士の顔が綻《ほころ》んで、最後のスライドが映し出された。大きな黄文字で次のように書かれてあった。

「数学的無矛盾な体系は、あまねく実在と認めざるをえないのではないか」

また沈黙が続いた。須藤博士はまるでそれを楽しんでいるように見えた。

1分ほどの時間が経った。須藤博士が話し始めた。こういう一種の極限的な思考実験は、もう物理学の領域を超えてしまったと、私自身もちろん認めています。クレタ人のように「私の言うことを信ずるな」と言いたいくらいです。それで最後に少し物理学らしい、当面はできなくても原理的には観測が可能かもしれない、そんな話で締《し》めたいと思います。

この世界がレベル1のマルチバースだったとします。時空は無限で、そのなかにわれわれの宇宙と同一の法則に支配された別な宇宙が無数にあると考えるわけです。そのなかにはひょっとするとお互い全くそっくりな、実際上区別不可能なコピー宇宙が含まれているかもしれません。

そして話は宇宙のあり方の数の計算になった。宇宙を構成する原子核の大きさ10^{-13}cmを、われわれの見ている半径138億光年（すなわち10^{28}cm）の宇宙いっぱいに入れるとすれば、宇宙には（10^{28}／10^{-13}）^{3}個、つまり10^{128}個の原子核が詰め込めます。違った言い方をすれば、宇宙には原子核を置ける10の123乗の違った場所があるということです。各々の場所で可能なのは、原子核を置くか置かないかの二通りです。あらゆる場所に置く置かないの二択があるので、宇宙全体での原子核の置き方のバリエーションは、全部で2の10乗の123乗です。この数が宇宙がとりうる違った状態の数です。もし世界全体にこの数を超えた数の宇宙が存在すれば、必ずどれか二つの

第**5**夜

革命家のマルチバース

宇宙が全く同じ状態でなければならないでしょう。

もちろんこれはものすごく荒っぽい概算ですが、たとえ数千倍数万倍違っていても、実は話の筋に大差はありません。世界全体に宇宙が「たったこれだけの数」あれば、世界のなかにはわれわれの宇宙とあらゆる点で全く同一な忠実なコピーが存在するということです。世界の時空はおそらく広大無辺で、そのなかにはこの数を遥《はる》かに超える宇宙が収まっているでしょう。そうすると必然的に次のような結論になります。世界全体にはわれわれの宇宙と同一なものが無数にあり、われわれとほんの少し違う宇宙、大幅に違う宇宙、すべての可能な宇宙の無限個のコピーがある、と。

須藤博士はこのように話を終えた。確信に満ちた晴れやかな表情が戻っていた。

質問のセッションが始まった。きちんとした数字をともなった議論が気に入ったのだろう、谷村博士は快活な表情に戻って、穏やかな様子で何事かを訊いている。たくさんの質問で座はすっかり賑やかになっていたが、私はもう画面を見ておらず、別なことを考えていた。

それはオーギュスト・ブランキの奇書『天体による永遠』である。19世紀フランスを生きた政治思想家ブランキは、1848年の革命でパリ・コミューンの蜂起《ほうき》を指導したことで知られる。政権奪取に失敗したブランキはそれから二度と牢獄から出ることがなかった。国事犯監獄のなかでの長い孤独の時間に書いたこの本に、今の須藤博士の話がそのまま予見されているのを、私は知っていた。

本のなかでブランキは論じている。もし空間が無限で、われわれに知られた宇宙が有限なら、知られていない部分には、われわれの宇宙のコピーやそのあらゆるヴァリアント（変異）が、無限に存在するはずである。

「この宇宙でのブランキ」は蜂起に敗《やぶ》れて牢獄に坐《ざ》している。そしてそのようなブランキが無尽《むじん》の時空には数かぎりなく存在している。しかしまた別の宇宙もあって、そこではほぼすべての事象がこちらと同一だが、「その宇宙でのブランキ」はエリゼ宮の執務室に座った第一執政官として、フランス全土に秘密警察による恐怖政治を敷いている、という具合である。

職業を間違えた19世紀の鬼才の幻想文学が、時と場所を超えて21世紀の宇宙論的哲理と出会う奇跡。すべての多世界にいるブランキの、呻吟《しんぎん》と陶酔の総和が作る巨大な咆哮《ほうこう》が押し寄せてくるようで、頭がくらくらしてきた。目の前にはスライドで見た極彩色マルチバースの曼荼羅が見えてきた。

セミナーを終えて、外気を浴《あ》びようと出た屋外はもう真っ暗だった。十二月の猛烈な木枯《こがらし》が吹き荒れて、一面に散り敷いた銀杏《いちょう》の葉が舞っていた。立っていられないほどの暴風が頬《ほほ》を打ち、私は思わずのけぞった。片手に握っていた懐中電灯が落ちて、落ち葉に混じってカラカラと転がった。寒さに震えて頭の中が空になった。並行宇宙もマルチバースもすべて消え果てた。

今、目の前にある真っ暗なキャンパスと、そのなかに蕭然《しょうぜん》と立っている私、これだけが唯一の現実世界で、その他すべては病んだ頭の幻想だとの確信が、ゆっくり戻ってきた。

② 極微

神はクルミを与えてくださる。
しかしそれを割ってはくださらない。
――フランツ・カフカ

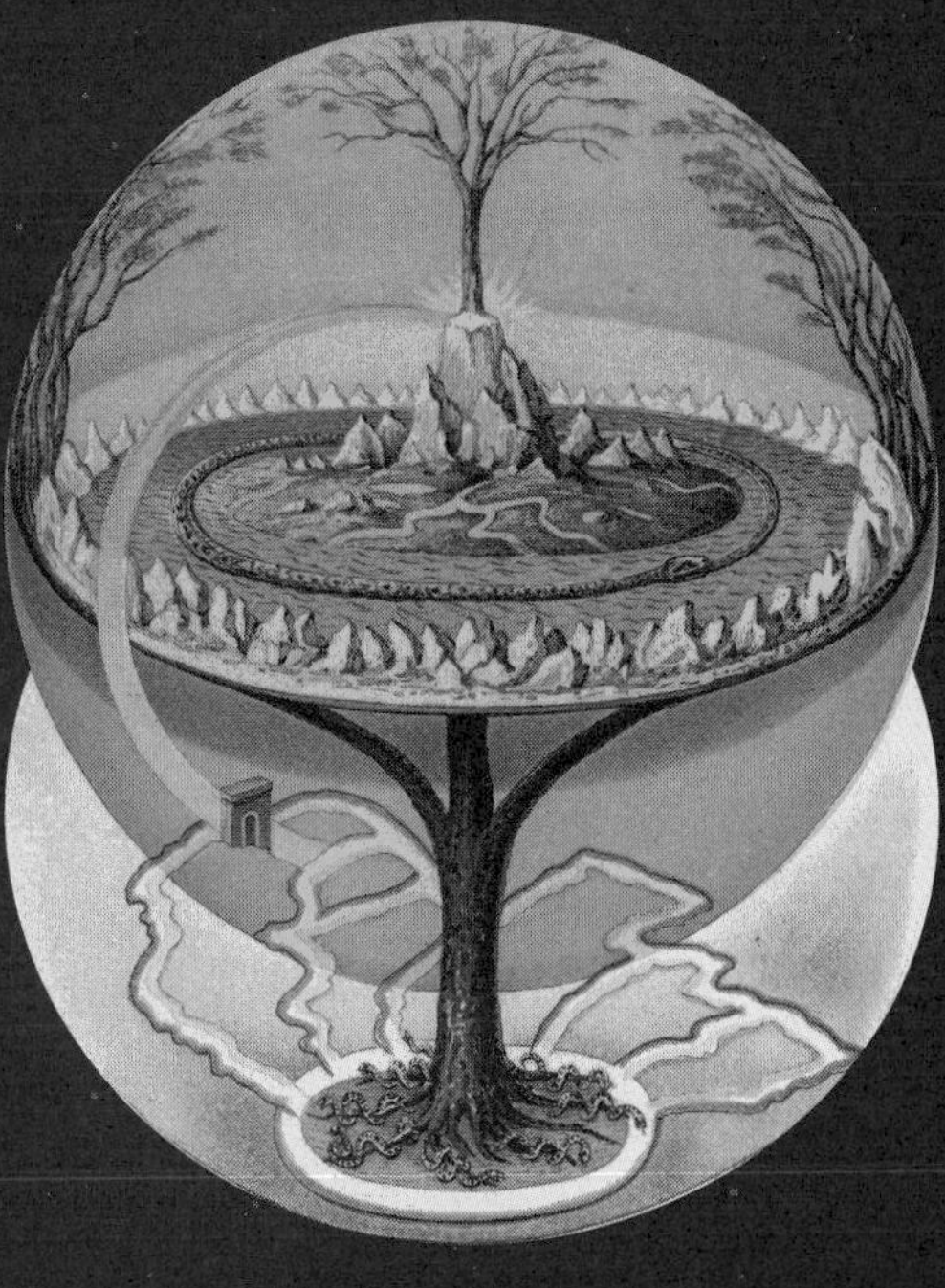

＊＊＊＊＊＊
第6夜
＊＊＊＊＊＊

シミュレーション仮説と無限連鎖世界

不知、周之夢爲胡蝶與、胡蝶之夢爲周與

――荘周

人間が霊長類のなかで抜きん出た存在となったのは、遊びを通じて心を磨き高い文化を育んだからだ――こう語るのはオランダの歴史家ヨハン・ホイジンガである。教師をしているわれわれには、これは身に滲《し》みて分かる。どんなに意趣をこらした講義でも、必ず眠い目や死んだ目の学生を見かけるものだが、授業をクイズ形式やゲーム形式にした途端、教室全体が覚醒し、にわかに活気づくのである。

遊びの重要なジャンルに、シミュレーションがある。一揃いのルールを設定して、その自動運用で世界の現実の一側面を模《も》して、再現するものである。広い意味でいえば、サッカーや野球といったスポーツや、囲碁《いご》や将棋《しょうぎ》といった知的ゲームもシミュレーションの一種である。しかしシミュレーションといえばやはり、仮想的市長となってコンピュータ上で街の発展を見守るゲームや、ヴァーチャル将軍となって戦争の推移を追うゲームの類《たぐ》いが思い浮かぶ。

シミュレーションは遊びとは限らない。現実の将軍たちもウォーゲームを頻繁におこなうし、現実の行政官たちは、交通渋滞を解消するために交通流のシミュレーションをおこなう。今ではあらゆる工学の部門で、実物を用いる実験は次々と、コンピュータ上のシミュレーションで置き換わっていく。天気予報の精度の向上は、大気現象の熱流体力学的シミュレーションの成果である。

コンピュータの能力の増大にともなって、現実のより大きな部分を、より詳細にシミュレーションで切りとれるようになる。さまざまな生態系のシミュレーション、はては人間行動のシミュレーションも、最近ではかなりの程度可能となってきた。その行き着く先にあるものは、他でもない世界全体のシミュレーションである。

世にあるあらゆる物や生物、人間まで含む世界全体の、現実との区別が難しいほどの精度のシミュレーションを、われわれがおこなえるのはいつだろうか。それが五十年後か百年後か、または千年後なのか、それは不明である。しかしその時が来れば、人間はきっと必要なリソースを投じて、知られた世界全体のシミュレーションをおこなうだろう。それは地球や他の惑星たちの環境を制御して、人類の存続を図る目的のためかもしれない。またそれはホモ・ルーデンス（遊ぶ人）としての人間の本質からして、純粋な遊び心のせいでもあるだろう。

仮に人類があと何万年も存続し、より高度な科学を育《はぐく》んだとすれば、われわれの遠い子孫は、太陽系全体に広がった星間文明を作って、悩みを知らぬ自足と豪奢《ごうしゃ》と安逸《あんいつ》の下に暮らしているにちがいない。その時の彼らの、退屈しきった眠い目や死んだ目を覚ます遊戯は、世界のシミュレーションを措《お》いてないだろう。そのシミュレーションは精密を極め、なかにいるわれわれの似姿たるシミュレートされたエージェントは、外見から脳内の思考まで、現実のわれわれと区別がつかないほどであろう。

すると必然的に疑問がわいてくる。

われわれ自身がシミュレーションのなかの存在でないと、断言することができるだろうか。

世を覆《おお》う電子ウェブ世界のなかに身を浸し、巨大情報企業に思想信条から性的嗜好《しこう》までプロファイリングされ、購買欲を刺激され、時として政治的選好までも操作されたと感じるわれわれは、本当に実在する人間なのか、たんなるプログラム中のエージェントなのではないか。だれしも時に、そのような疑念を覚えるのではないか。

そもそもわれわれの認知や判断とは、感覚で取り込んだ情報を元に、脳内で外界のシミュレーションをおこなってなされるものである。われわれの見ているのは外部世界そのものではなく、認知で脳内に組み上げた外部世界の写像《しゃぞう》である。そのシミュレートされた写像から、外部世界がリアルかヴァーチャルかを判断することが、はたして可能だろうか。「我シミュレートす、故《ゆえ》に我あり」――21世紀のデカルトはそう語るだろう。しかしその「我」が実か虚か、彼にも区別はつかないだろう。

十分に進んだテクノロジーは魔術と区別がつかない、と言ったのはアーサー・C・クラークであった。さらに突き詰めて考えると、完璧に進んだテクノロジーは、おそらく自然と区別がつかないだろう。

われわれを含むこの世界はシミュレーションだという、この真面目とも冗談ともつかない仮説を文字通りにとって、われわれがシミュレーション上のエージェントである確率を推定した哲学者がいる。スウェーデン出身のオックスフォード大教授、ニック・ボストロムである。彼は著書のなかで、世界全体のシミュレーションをおこなえるほどに発達した文明は、総体として超絶的計算能力をもつ一つの有機体、すなわち「超知能」であると論じた。ボストロムのシミュレーション仮説の議論は次のようなものである。次の三つの言明、

（1）人類を含むいかなる知的生命も超知能に至る前に絶滅する

（2）いかなる超知能文明も世界シミュレーションをおこなうことはない

（3）われわれ人類はシミュレーション内の存在である

のいずれか一つだけが必ず成り立つ。そしてこれから、（1）が否定される確率と（2）が否定される確率の積《せき》として、われわれがシミュレーション内の存在である確率を計算することができる。その確率はゼロではなく、おそらくは限りなく1に近い、とボストロムは示唆《しさ》している。

物理学者のなかには、シミュレーション仮説の真偽を判別する手段があると考える人々もいる。超知能であっても、計算資源が有限な以上、シミュレーションは連続的な時間空間を、離散的なグリッドで置き換えておこなわれるだろう。例えば空間を三次元立方格子《こうし》で置き換えたシミュレーション世界があるとすれば、そこを飛び交う宇宙線は完全に等方的ではありえない。ある地点に到達する宇宙線のうち、量子力学的

不確定性から考えて、格子サイズを見分けられるほどの高エネルギー成分だけを集めれば、その空間分布から、球対称ではない立方体格子構造が読みとれる。つまりシミュレーションのグリッドにそって、宇宙線の軌跡がギザギザになっているはずである。そのような考察を実験的検証の提案にまで進めた、ワシントン大学のビーン博士たちの論文がすでに学術誌上に掲載されている。

しかし、もしわれわれがリアルな存在ではなく、どこかの超知能のシミュレーションのエージェントにすぎないとして、それを心配したとて何になるのだろう。自分の行く末を案ずるシミュレーション上のエージェントを見つけた超知能は、きっと腹を抱えて笑っていることだろう。むしろ、心配すべきはシミュレーション結果が退屈なものになって、われわれをシミュレートしている超知能が飽きてしまい、シミュレーションを中断してしまうことだろう。われわれが直面するのは「リセット」の実存的脅威かもしれない。

シミュレーション仮説を前提として、われわれをシミュレートしている神のごとき超知能とわれわれとの関係性から、倫理や道徳を考えることも可能であろう。神、ま

たは神々を怒らせて「リセット」が起こることのないように、個人として人類全体としていかに生きるべきかを考える立場である。もし超知能の属性として、われわれと類似なものを想定するならば、それは、伝統的宗教の説く倫理や道徳と似たものになるのかもしれない。

しかしわれわれは超知能の好みについて何を知っているというのだろうか。考えれば考えるほど虚無的な不可知論に陥《おちい》りそうである。世界観も倫理観も未知の神々に対して、どんな貢物《みつぎもの》を捧《ささ》げればよいのだろう。いったい何をすればリセットを避けられるのかも不明である。

ともあれ仮に、われわれがリセットをくらわず順調に文明を発展させたとすれば、われわれ自身もいずれ超知能への移行を果たすことが考えられるだろう。

シミュレーションのなかのエージェントとして超知能を得たわれわれは、多くのSFが予想するように有限の地球を飛び出し、無限のリソースの待つ宇宙への進出を図るだろう。きっと自己増殖するフォンノイマン探査機を作り、惑星を壊して太陽のエネルギーを保存するためのダイソン球を作り、（シミュレーションのなかでの話ではあるが）無窮《むきゅう》の空間に進出していくだろう。

そしてその間にも暇な時間を見つけては、戯《たわむ》れに知的生命体を含む世界のシミュレーションをおこなっていることだろう。シミュレーションのなかの超知能がシミュレーションをおこなう。そのなかに超知能が生み出され、それがまたシミュレーションをおこなう。

自ら世界を創造できる知的存在をそのなかに含む世界のモデルでは、このような入れ子状の無限の創造がおこなわれるのは、考えてみれば当然のことである。リアルであれヴァーチャルであれ、世界を十分な精度でシミュレートする知性体が一度生まれるならば、それは即《そく》、無限の階梯《かいてい》の世界シミュレーションの連鎖を含意するのである。

無限のシミュレーションで満たされた宇宙で、任意の知的生命体がシミュレーションでなく現実のものである確率を考えてみると、それはほぼゼロに等しいであろう。ほぼすべての存在は、無限の階層のヴァーチャル・リアリティのどれかのなかに棲《す》まうだけの、虚の虚、空《くう》の空なのではないか。

このような場合に、現実世界と仮想世界を区別することに、何か実際上の意味があるのだろうか。世界は空の空と最初から見切って、それでも世界と折り合いをつけて生きていくべきではないか。虚無が無限に累積する宇宙のただなかで、穏《おだ》やかな諦念《ていねん》をもって生きる以外にないのではないか。世界が無限の階梯のシミュレーションであるとする仮説は、そのような一種仏教的な世界観を内包《ないほう》しているようである。

いや、おそらくは、無限シミュレーション仮説は、今ここで筆者によって発見されたのではなく、幾千年の昔にインドの小王国の王子ガウタマ・シッダルタによって見つかっていたのだろう。王子が瞑想《めいそう》のなかで見たものは、無数の別の世に異なった姿で生を享《う》けた自分、現世のおこないと不可思議なカルマでつながった無数の自分の姿だったのかもしれない。けだるい南国の夕暮れに彼が幻視したのは、かぎりなく産出されるシミュレーション世界の目眩《めくるめ》く無限階層だったのではないか。この合わせ鏡のような果てのないシミュレーション中の、無数のエージェントたちの喜怒哀楽の唸《うな》りの総和で満たされた宇宙は、いかに耳を聾《ろう》する轟音《ごうおん》で溢《あふ》れかえっていたことだろうか。

世の聖堂寺院の伽藍《がらん》を満たす聖歌声明《しょうみょう》の響きのなかに、あるいはわれわれはこの無尽の轟音の残響を聞きとっているのかもしれない。

＊＊＊＊＊＊
第７夜
＊＊＊＊＊＊

デーモンコアと科学の原罪

それは鉛色《なまり》の金属球であった。直径９㎝ほどの不気味な球体は、ベリリウムの半球殻《きゅうかく》の台座にぴったりと嵌《は》まっていた。そこから顔を出していた球体の上半面も、やはりベリリウムの半球殻の蓋《ふた》でほぼ覆《おお》われている。横に立った若い男の片手が蓋にかかり、もう片方の手がもつドライバーがあいだに挟まって、二つのベリリウム半球殻が完全に閉じるのを防いでいた。

時は１９４６年５月21日、ロスアラモスの原子核研究施設の一室である。男の名前はルイス・スローティン、カナダのマニトバ大学で優等賞を総なめしてアメリカにやってきた、弱冠35歳の俊英《しゅんえい》物理学者である。部屋には他にも科学者６名と守衛１名がいて、スローティンのおこなう実験を見守っていた。鉛色の球体は臨界《りんかい》すれすれの量のプルトニウムである。これは東京に投下される予定だった第三の核弾頭そのものである。日本の降伏で用済みになって、製造元のロスアラモスに出戻ってきたのだ。

　球のなかでは絶えず中性子が飛び交ってプルトニウムを分裂させ、そこからまた中性子が放出される。球のプルトニウムが仮にあとわずかに多ければ、プルトニウム分裂の連鎖反応が臨界に達して、この場に黙《もく》示録《しろく》の世界が現前するであろう。

　臨界は他の手段でも得られる。ベリリウムは中性子を反射するため、ベリリウム蓋が近づくと、プルトニウム球から外に出て行く中性子が戻って、球内の核分裂が促進される。スローティンがドライバーを動か

して、ベリリウムの蓋がより深く球体を覆うたび、放射線量測定器シンチレーション・カウンターが激しくパチパチと光るのが見られた。

スローティンはこの臨界実験を、これまで何度もくり返していた。今日は同僚たちを招いての、ディスプレイ実験の晴れ舞台だったのである。

一瞬、スローティンの手からドライバーがずれ落ちた。ベリリウムの二つの半球殻が、鈍い音を立てて閉じてしまった。

青い閃光《せんこう》が見えた。全員が皮膚に焼けるような熱さを覚えた。

スローティンは咄嗟《とっさ》に渾身《こんしん》の力で上蓋を跳ねのけた。その間10分の2秒ほど。あと一刻の躊躇《ちゅうちょ》でプルトニウム全体が爆発し、実験室だけでなく、研究所の施設もろとも、いや、となりのロスアラモスの街すべてまでを焼き尽くしていたことであろう。

ちょうど長崎の街のように。

元のままの姿のプルトニウム球体を確認したスローティンは、強《し》いて落ち着き払った声で、部屋にいた全員にむかって、動かずに各自の球体との距離を測ってから去るように言って、自らも建物を出た。強い吐き気を催《もよお》してうずくまった彼は、すぐに病院に運ばれた。

ベリリウムの蓋が閉じてプルトニウムの臨界の起きていた一瞬に、3千兆の連鎖分裂があり、青い光以外にも、目には見えぬまま、アルファ線、ベータ線、ガンマ線、中性子線、あらゆる放射線が莫大《ばくだい》な量放出された。スローティンの被曝量は21シーベルト、これは広島爆心直下の被曝量の2倍強で、かつて人間が浴《あ》びた放射線量の最高値である。それは致死量の5倍である。

病院でも施《ほどこ》す手段はなかった。皮膚、臓器、体のあらゆる部位の細胞が壊死《えし》し、機能停止し、出血が止まらなかった。蓋を押さえていたスローティンの手が、2倍ほどに肥大し歪《ゆが》んだ写真が残されている。9日ののち、譫妄《せんもう》状態のなかでスローティンの心肺は停止した。

同室した科学者で他にも数名、放射性障害を疑われる者が出ている。

これ以降ロスアラモスでは、臨界近い核物質に、人間が直接近づくことが禁止された。実はすでに半年前、同じプルトニウム塊を用いて、類似の接触臨界事故が起きていたのである。実験をおこなった24歳の科学者ハリー・ダリアンは一月《ひとつき》後に死亡している。ダリアンの被曝量は5シーベルトと推定されている。

東京で数十万人を殺す代わりに、二人の青年を自滅させたプルトニウム塊は、以降

「デーモンコア」の名で知られるようになる。魔物の心臓という意味である。

しかし一体、スローティンは（そしてダリアンは）何のためにこのような無謀で無意味な実験をおこなったのだろうか。臨界の条件を調べるためならば、いくらでも他にやりようがあったはずである。野心的な少壮科学者にありがちな、好奇心の暴走であろうか。

それならば研究所の上層部は、なぜこれを止めなかったのだろうか。核開発のリーダーの一人であったエンリコ・フェルミが「このような実験は1年以内に死を招く」と常々語っていたにもかかわらずである。「龍の尻尾で遊んでいる」と表現した科学者もいた。

青年のような好奇心が、成熟した老年の科学者たちにも共有されていたことは明白である。好奇心こそは科学の進歩の原動力であるのだから。

しかし好奇心は、科学のもたらすあらゆる惨禍《さんか》、科学による人間破壊の原動力でもある。科学者にとっての科学は、イヴにとっての林檎《りんご》なのである。核爆弾の開発に科学者たちはなぜ嬉々《きき》として協力したのだろうか。それは好奇心の追求が倫理《りんり》感に基づ

第7夜

デーモンコアと科学の原罪

く抑止《よくし》を上回ったからであろう。自然界の真理の探究のもたらす悦《よろこ》びは、科学者にとって何物にも代えがたい。その悦びは、科学の産物の犯罪的利用への懸念からくる自制をつねに上回っている。

　さらには別の誘惑もある。科学のもたらす権力である。デーモンコアを前にしたスローティンが手にしていたのは、気まぐれ一つで、目の前の世界を粉々に吹き飛ばし、無数の命もろとも暗闇に葬《ほうむ》る、目眩《めまい》がするほどの力であった。実験を繰り返したときの彼は、おそらくは悪魔的な力の感覚に酔っていたのであろう。知は力であり、力は悪を孕《はら》む。科学の絶対的な力は絶対的な悪となる。

If the radiance of a thousand suns
Were to burst at once into the sky,
That would be like the splendour of the Mighty One…
I am become Death,
The shatterer of worlds.

もしも千の太陽の光輝《こうき》が
一度に空に放たれるならば
それは全能者の栄耀《えいよう》さながらであろう……
私は「死」となり
諸世界の破壊者となるのだ

デーモンコアに先立つ1年前、人類初の核実験を成功させたロバート・オッペンハイマーが砂漠に立ち昇ったキノコ雲を前につぶやいた、古代インド叙事詩「バガヴァッド・ギーター」からの引用句である。

純粋科学が大きな技術的革新を生んで、潤沢《じゅんたく》な資金と特権的研究環境を与えられる特別な時代がある。そのような黄金時代の科学は、社会一般からの制御の及ばない象《ぞう》牙《げ》の塔《とう》を築き、独特の非人間性や傲慢さを、往々にして帯《お》びることになる。科学の倫理的退廃《たいはい》はそのようにして始まるのだ。

おそらくデーモンコアとは、科学そのものに内在する原罪の隠喩《いんゆ》なのであろう。

＊＊＊＊＊＊
第8夜
＊＊＊＊＊＊

天然原子炉とクロダ博士の秘密

１９４２年12月2日厳冬のシカゴにて、試作原子炉「シカゴ・パイル１号」を囲んだ科学者の集団にキアンティの祝杯が振る舞われた。亡命イタリア人物理学者エンリコ・フェルミに率《ひき》いられた彼らは、今しがた核分裂臨界《かくぶんれつりんかい》を達成したばかりであった。無尽《むじん》のエネルギーの眠る極微《ごくび》世界への鍵を彼らは手にしたのだ。米軍研究統括本部は「イタリア人航海士が新世界に上陸した。原住民は友好的だった。」との電話を受けとった。亡命ハンガリー人物理学者シラードが、一人暗い顔でフェルミにむかってつぶやいた。この日は人類史上の暗黒の日として記憶されるだろうと。

このときの誰も、これが地上で最初に稼働《かどう》した原子炉であることを疑わなかった。シカゴ・パイル１号は、実は地球上最初の臨界核反応炉ではない。それより遥《はる》か昔

第8夜

天然原子炉とクロダ博士の秘密

に、アフリカ西海岸はガボン共和国のオクロの地で、17基の原子炉が稼働していたことが、今では知られているのだ。

それは20億年前の昔である。

発見の発端は、1972年、フランスの原子炉に運び込まれたオクロ鉱山産ウラン鉱石の成分分析の結果であった。地上のウラン鉱石のすべてのウラニウムでは、主成分の安定な「ウラニウム238」に対し放射性の「ウラニウム235」が0・7%だけ混じって見つかる。ところがオクロから出たウラニウムでは、この比率が0・6%だったのである。わずか0・1%の小さな違いのようだが、事は重大である。核分裂を起こすウラニウム2

35が天然状態から15％近く減少しているのだ。すぐさま原子力委員会の調査団が派遣され、施設は軍の監視下におかれた。何者かによる核物質の抽出と持ち出しが疑われたからである。

しかしどんな手段で？

ウラニウム235の分離と抽出こそが核技術の肝《きも》であり、それは通常、大規模な遠《えん》心分離器《しんぶんりき》や電磁《でんじ》分離器をもっておこなわれる。ウラン鉱の原石から易々《やすやす》と235を抽出するのは現在の技術では不可能である。超文明をもった宇宙人の仕業だとでもいうのだろうか。

調査委員会を主導していたフランシス・ペランは、何日も悩んだ末に、コレージュ・ド・フランスの図書館の書架で、ある不思議な文献を掘り当てた。16年前のアメリカ化学会会誌の、わずか1ページの速報であった。それは最初、宇宙人説に劣《おと》らないほどの奇説に思われた。

著者のポール・K・クロダは語る。放射性崩壊のためウラニウム235は、7億年で半減するペースで失われていく。現在でこそ0・7％であるが、地球の歴史を20億年遡《さかのぼ》れば、ウラニウム235の比率は3％だったはずである。これはちょうど原子炉が臨界に達するために必要な最低濃度である。さらに条件さえ揃《そろ》えば、この時代のウラン鉱石集積地で、天然の原子炉が実現していただろう。

その条件とは、大気中の酸素である。

地球の歴史を20億年をこえて遡れば、ウラニウム中の２３５の比率はさらに高まる。地球の誕生した45億年前だと、それは30％にも達する計算になる。ところがウラニウム自体は本来大地に薄く分散していて、そのままでは核反応が臨界に達しない。ウラニウムを高い純度で含んだウラン鉱石が必要なのである。そのような鉱石ができるためには、水に溶けたウラニウムが湖底や海底に沈澱《ちんでん》集積しなければならない。しかしウラニウムは本来難溶性《なんようせい》で、酸素と結合して初めて水に溶けるのである。

二酸化炭素ばかりで酸素のなかった地球大気の組成が、劇的に変化したのが20億年前である。それは原初の生命体である藍藻類《らんそうるい》、葉緑素をもったシアノ・バクテリアが光合成で酸素を大量に生み出した時代であった。

著者のクロダはこのような推論から、純度の高いウラン鉱石が作られて、そのなかのウラニウム２３５成分が３％を超えていた20億年前にこそ、地球上で天然原子炉が実現する条件が揃っていたと考えたのである。条件を揃えたのは人間でこそなかったが、人間のはるか遠縁のシアノ・バクテリアだったのである。

人間の作った原子炉では、緩衝材《かんしょうざい》として水を加えて高速中性子を減速させ、核反応を促《うなが》して原子炉の臨界を誘導する。それと全く同様に、ウラン鉱石の地層に雨水が染み込むと、ウラニウム分裂が臨界に達して連鎖反応が始まる。発生した高熱で瞬時に水が蒸発しウラニウム分裂が止まる。また雨水が溜《た》まって核分裂が起こる。20億年前の天然原子炉は、数時間ごとに臨界越えを繰り返しながら、ウラニウム235濃度が低下して燃え尽きるまで、数百万年のあいだ稼働し続けたのであろう。

クロダ論文を精査した調査委員長ペランは、すぐさま現地オクロに科学調査隊を派遣した。20億年前の地層にある炭鉱には、藍《あい》に変色した差し渡し5mほどの露出面が、全部で17ヵ所見つかった。ウラニウム235濃度の低下した鉱石はすべてこの部分から出たものであった。くわしい放射能測定によって、ここではネオジウム143とルテニウム99が通常より多く含まれることが判明した。これらはウラニウム235の崩壊の際の生成物であり、かつてここで天然原子炉が稼働していたという動かぬ証拠である。

第8夜
天然原子炉とクロダ博士の秘密

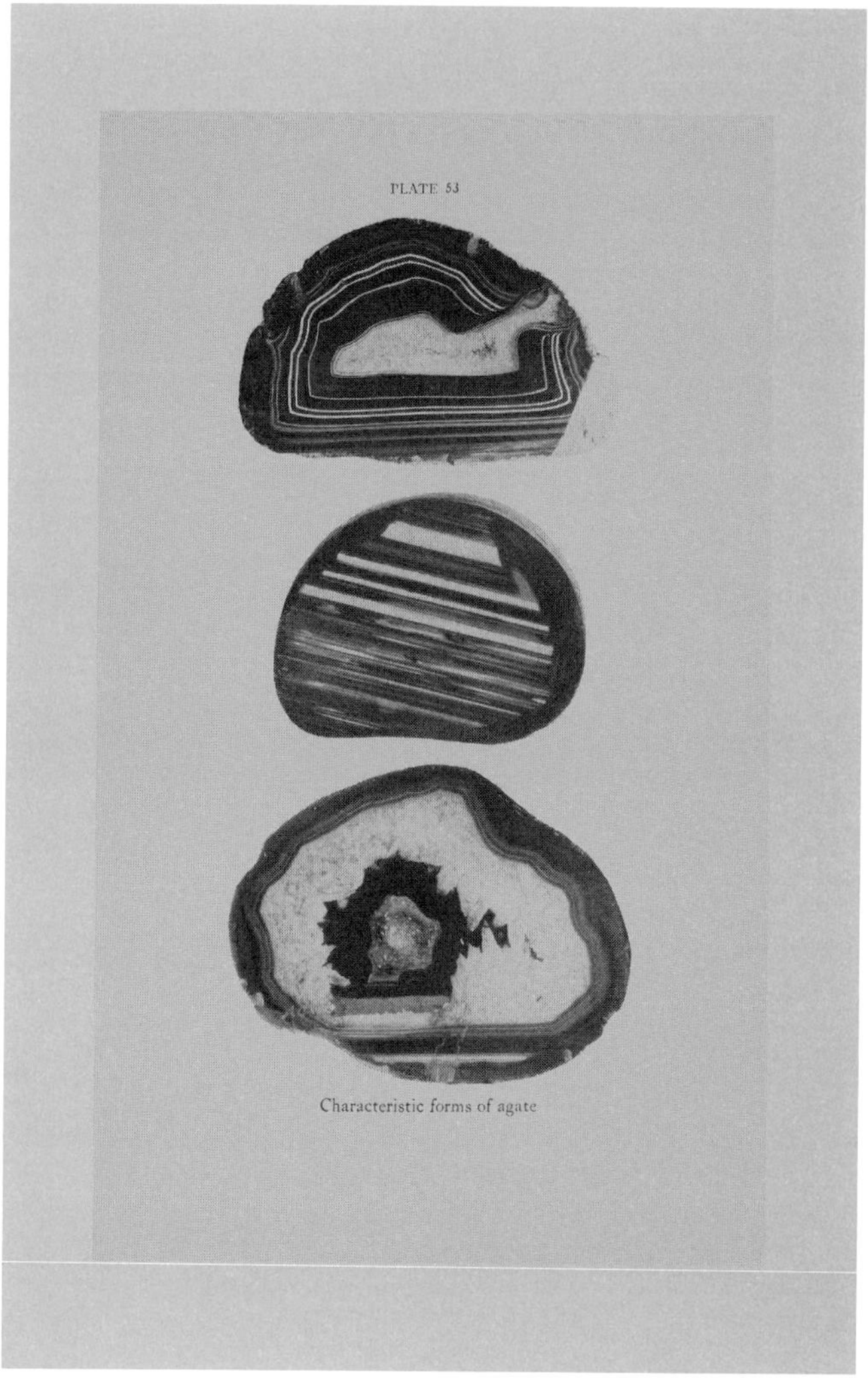

天然原子炉の存在を、発見に16年も先立って予言したポール・K・クロダ博士とは、一体何者だったのか。

黒田和夫は１９１７年、福岡に教師の息子として生まれた。頭脳明晰な黒田青年は東京帝国大学で化学を学び、さらに大学院に進んで温泉の放射性元素の研究で博士号を取った。１９４４年に東大の最年少助教授となった黒田であるが、戦後すぐ渡米してアーカンソー大に職を得た。アメリカ国籍を取得したポール・クロダ教授は、順調に研究業績を上げ多くの弟子を育て、全米87人の化学者にも選ばれた。オランダ出身の妻ロース・モリンとの間に３人の子供を儲《もう》け、地元大学の顔として、アーカンソーの名士として生涯を全《まっと》うした。

２００１年の没後、生前は決して明かさなかった秘密が、妻に託《たく》された書類から明らかになった。戦中の「ニ号研究」についての23ページにわたるノートである。これは理研の仁《に》科《しな》芳《よし》雄《お》の主導でおこなわれた日本の核爆弾製造計画の概要を、図入りで書き留めたものであった。このノートから、日本の核開発の進展についての新情報が得られた。ウラニウム２３５を30％まで濃縮する技術の確立が窺《うかが》える。これは爆発力よりも放射能で被害を与える核弾頭、いわゆる「汚い核爆弾」製造に十分なものであったが、ウラニウム原料の調達不足で開発はおこなわれなかった。

ノートは遺志により理研に寄贈返却された。

敗戦時の焼却命令に従わず持ち出された理由については、祖国の来るべき再起に備えてとも、米国の技術との落差の研究のためとも、現地紙の物故記事で推測されている。帝国日本のエリート学者として出発し、米国の辺境で名誉に包まれて没したポール・カズオ・クロダ。彼の胸中の真実を窺い知る術《すべ》はすでにない。

＊＊＊＊＊＊
第9夜
＊＊＊＊＊＊

ローラン展開の世界史

1917年のロシア革命に続く、内戦時の話である。ソヴィエト革命政権はモスクワ、ペトログラードなどの主要都市を押さえるのみで、君主主義派、立憲派、社会革命党等、あらゆる立場の反対武装勢力が各地に陣取《じんど》っていた。ウクライナの南部においても、黒海の湾港都市オデッサを一歩出ると、大部分の領土は「マフノ団」の統治下にあった。これは無政府主義者ネストル・マフノに率《ひき》いられた戦闘組織で、過激な平準化思想と反対派への残虐《ざんぎゃく》行為で知られていた。

オデッサ大学の数理物理学教授だったイーゴリ・タムは、食料の買い出しに近隣の村に来ていたところ、運悪くマフノ団の小部隊に遭遇してしまった。街から来たことが明らかな服装を見咎《みとが》められ、タムは逮捕された。そして司令部のある納屋の、部隊

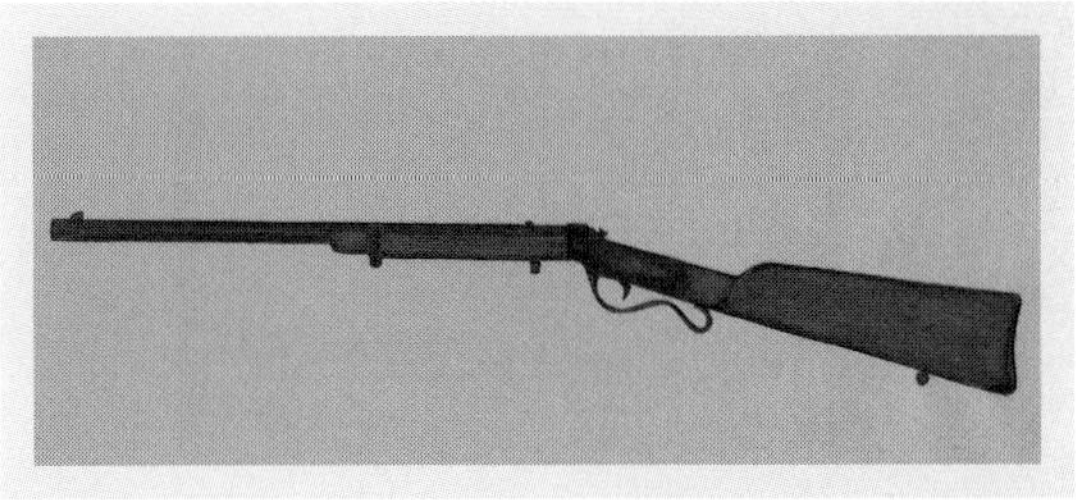

長のもとに引きずられてきた。髭面《ひげづら》に羽毛の角帽を目深にかぶり、肩から弾倉をいくつもぶら下げた部隊長のかたわらには、機関銃が二つ置かれていた。

彼はタムを睨《にら》んで言った。

――見たところボリシェヴィキの役人か宣伝隊員だな。自由ウクライナに敵対する者に与えられる罰は死だ！

ゲリラ隊長の、乱暴な口調に似合わぬペトログラード風アクセントを訝《いぶか》しみながら、タムは抗弁した。

――いやいや、私はただのオデッサ大の教授で、食料調達に来ただけだ。

――デタラメを言うな。何の教授か言ってみろ。

――数学を教えている。

隊長は奇妙な笑いを浮かべて叫んだ。

――数学だと！　よろしい、確かめてみよう。ローラン展開のn次項の係数は何だ？　正解なら解放しよう。間違えたら即刻処刑だ。

驚きで目を見開いたままのタムに、紙が一枚与えられた。ローラン展開というのは、初等解析学《かいせき》のテーラー展開を特異点のある場合に拡張した一般化公式で、これに馴染んでいるのは大学で解析学を修めた者である。突きつけられた銃口を横目に、震える手でタムは、積分記号やギリシャ文字を含んだ答えを書き下した。紙を眺《なが》めて隊長は言った。

——正解だ。どうやら数学者というのは本当のようだ。

そして部下を振り向いて命令した。

——アリストヴィッチ、教授を駅まで安全にご案内しろ。

タムは隊長をまじまじと見た。髭と目深な帽子に覆《おお》われて、彼の表情は読みとれなかった。

汽車で戻る道すがらタムは考えていた。一体あの男は誰だったのだろうか。世が世なら、彼は今ごろペトログラード大の研究室の机にむかっていたのかもしれない。いずれこの戦争が終わるとき、仮に彼が生き延びたら、ロシアかウクライナの大学なり高校なりで数学を講じているかもしれない。

内戦はボリシェヴィキの勝利で終わり、イーゴリ・タムはモスクワ大学に移った。スターリン直々《じきじき》の命令で原子核物理学部門が大拡張されたのである。自らの研究のかたわら、レベデフ物理学研究所の所長として、多くの優秀な物理学者の育成を主導した。水素爆弾の開発者サハロフはタムの直弟子《じきでし》である。

1953年、イーゴリ・タムにノーベル物理学賞が与えられた。チェレンコフ放射の理論的研究によるものである。チェレンコフ放射とは、媒質中の光速を超えた速度で運動する荷電粒子《かでんりゅうし》が作る衝撃波で、核反応炉の臨界事故で観測される青白い光もそれである。さらにタムの考案したトカマク型核融合炉は、もっとも有望な核融合発電法と考えられており、現在も各地で大規模な研究開発がおこなわれている。

世界中の研究者たちのほとんど誰も、核融合研究の知られざる扉を開く鍵として、ローラン展開公式があったことに気がついていないだろう。もしかすると、あらゆる科学的発見の影に、なるかならぬか紙一重の危険な偶然が潜《ひそ》んでいるのかもしれない。

＊＊＊＊＊＊
第10夜
＊＊＊＊＊＊

同一者の識別と噴出

私の手のひらに乗っていたあの小石は、それぞれかけがえのない、世界にひとつしかないものだった。そしてその世界にひとつしかないものが、世界中の路上に無数に転がっているのだ。

——岸政彦『断片的なものの社会学』

二つのものが「同一」でありうるだろうか。全く「識別不可能」な二つのものが存在しうるだろうか。この問いを精密に問うたのが十八世紀ドイツの哲学者ゴットフリート・ライプニッツであった。仮に二つのものがあって、あらゆる属性が同一だとしたら、その二つのものは識別不可能だろう。しかし一方、識別不可能とはいえ、二つが別なものであるためには、それらの区別を指定できる何か別な属性がなければならない。

ライプニッツがこの問題に突き当たったのは、世界を構成する根本要素としての「モナド」について考察していたからである。世界は無数のモナドからできている。モナドはお互い独立しているが、すべて同一の性質をもつ故《ゆえ》、どれも識別不可能である。他方それぞれのモナドは他とは異なる「状態」という属性をもっていて、それがモナドが単一でなく複数存在することを保証している。ライプニッツはそう考えた。

いま全く同一に作られて、どうにも区別できない二つの球体があるとしてみよう。これらは「同一」と言っていいのだろうか。一方を他方から識別することは不可能だろうか。

世界にこの二つの球体しか存在しないとすれば、それらを区別することに意味はないだろう。そもそも「区別」を論ずるためには、この二つの球体以外の第三者、区別をおこなう認識主体がなければならない。認識主体は一方の球に目を向ける、他方の球はその一方から1m離れて置かれてあった。この認識主体にとって二つの球を位置

（もしくは座標）という属性で区別することは容易《たやす》い。二つの球が動いて位置が入れ替わったとしても、目を逸《いっ》さずにそれらの動きを逐次《ちくじ》追っているかぎり、一方と他方を間違えることはないだろう。つまり位置はこれら二つの同一にできた球体を識別する「状態」に相当するのである。二つの球体を同一の位置に重ねて一つにできない以上、この二つはつねに異なった状態にあって識別可能である。

内的属性が同一な二つのものでも状態が異なる故《ゆえ》に区別できる様子を、オックスフォードの哲学者のサイモン・ソーンダースは「弱い識別可能性」と呼んだ。二つのモナドは、そして離れて置かれた二つの同一な球体は、ともに「弱く識別可能」なのである。

現実の人生を考える場合、識別可能性の強弱が程度問題である場合も多い。球体の一方に小さな傷がついていたらどうだろう。感覚のするどい人にとって二つの球は別物で、普通に「強く」識別が可能となるが、傷が目に入らない大抵の人にとっては、二つの球の内的属性は同一で、位置による「弱い識別」のみが可能だろう。人間自身にとって個人個人は置き換えがきかない別々の存在と思えても、ＳＦに出てくる人を狩って食う異星人にすれば、私と貴女に何の違いもなく、たんに狩られた順序によって弱く識別可能なだけだろう。私には全く区別のつかない祥太《しょうた》と晃太《こうた》の双子兄弟が、晃太に恋を告白されたばかりの貴女にとって、簡単に識別可能だとしても何の不思議もない。

このように考えることで、別な論点も浮かび上がってくる。祥太と晃太が身体のつくりから性格まで、仮に細部に至るまで同一だとしても、貴女に恋している一点で、晃太は特別な存在であるはずだ。この個別性は、双子兄弟の立つ位置や姿勢、表情の違いの識別とは無関係の、根源的な「かけがえのなさ」がもたらすものである。あらゆる客体的属性や状態を超越したこのような識別は、形而上学的《けいじじょうがく》「このもの性」と呼ばれる。自動機械やゾンビではない魂のある人間にとって、このもの性による識別は原初的な重要性をもつのだ。

＊

いま仮に姿の見えない怪力の小さな悪魔がいて、二つの球体を目にも止まらぬ速さで一秒間に５０００回ずつ置き換え続けているという仮想的場面を考えてみよう。高

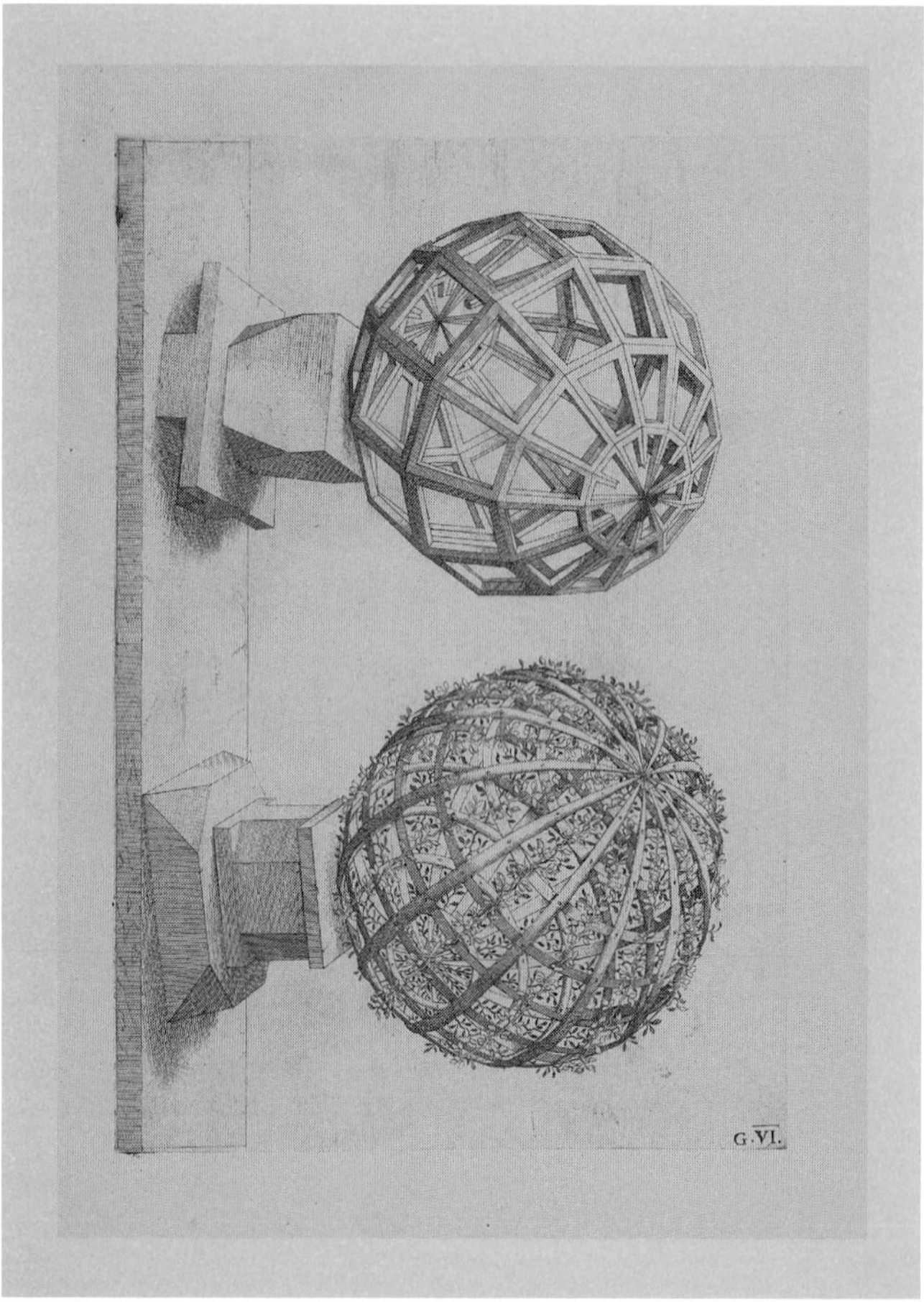
G.VI.

速ヴィデオ装置でも使わないかぎり、球体は両方とも元の位置に止まって見える、という状況である。

この場合明らかに二つの球体を識別するのは不可能である。仮にどちらかの球体が、晃太から貴女にプレゼントされた真紅《しんく》のルビーだとしたらどうだろう。他方の球も物理的特徴は全く同じ紅《くれない》に輝くルビーである。通常ならばプレゼントのルビーは貴女にとっては世界で唯一のかけがえのないものであるが、右に行ってルビーを手に載せてみても、それはつねに超高速で入れ替わっていて、向こうに置かれたままのルビーと区別することはできない。

手の上のルビーは貴女にはどう思えるだろうか。それは向こうに置かれたルビーと位置によって区別されているはずである。しかし悪魔の存在を知る貴女にとってのかけがえのなさは半分に減っているだろう。二つのルビーは位置という状態によって「弱く識別可能」だとしても、一方のもつ「このもの性」が失われることで、その識別はさらに弱いものになっていると言わざるをえない。

そしてこのような絶えざる交換による識別性の弱まりは、この世界に現実に存在している。

それは電子や原子核といった「量子力学的な粒子」においてである。世にある電子はすべて同一である。二つの電子が右と左に置かれたとき、それぞれに一番二番と番号をつけて区別することはできない。その二つは任意の瞬間において、一番である状態と二番である状態が均等に含まれる「重ね合わせの状態」になっているからである。しかし番号づけに関して識別不可能な状態にあっても、二つの電子は置かれた位置という属性で区別することができる。その点に関しては普通の球の場合と何ら違いはない。右に行って電子を（しかるべき装置を用いて）手に取れば、手の上の電子と左に置かれたままの電子は「弱く識別できる」別な状態だと実感できるだろう。しかしやはり量子的な二粒子は、番号づけできないという点で「このもの性」による識別がない分、通常の弱い識別性よりさらに弱い、「量子力学特有の弱い識別性」をもつのである。

量子力学による識別性の弱まりは、実はこれだけではない。すべての原子や素粒子《そりゅうし》は「フェルミオン」「ボゾン」二種類の、いずれかに分類される。電子や陽子、中性子はフェルミオンで、光子や中間子《ちゅうかんし》はボゾンである。両者の違いは「パウリ排他律《はいたりつ》」にある。

二つの同種のフェルミオン(たとえば二つの電子)があるとき、その二粒子の間にはパウリ排他律が働き、二粒子は同じ場所や同じ状態を占《し》めることができない。たくさんの同種フェルミオン粒子が集まると、そのなかのすべての粒子ペアの間にパウリ排他律が働くので、すべての粒子は別の状態、別の場所に存在せざるをえなくなる。それが陽子や中性子、そして電子からなるわれわれのまわりの通常の物質が、決まった嵩《かさ》、空間的広がりをもっている根本原因である。

ところが同種のボゾン(例えば光子)が二個あるとき、その間にはパウリ排他律は働かず、二粒子は別の状態にあることもできるが、全く同一の状態にあって全く同一の場所を占めることもできる。たくさんの同種ボゾンが集まると、すべての粒子が各々好きな状態にありえて、極端な場合はすべての粒子が同一の状態にあることさえ可能となる。光子の無数の集合体である光が、決まった広がりをもたず、ぼんやりと空間に偏在《へんざい》するのはそのためである。

二つの同種ボゾンが同じ状態を占めているとき、その二粒子は厳密に識別不可能で

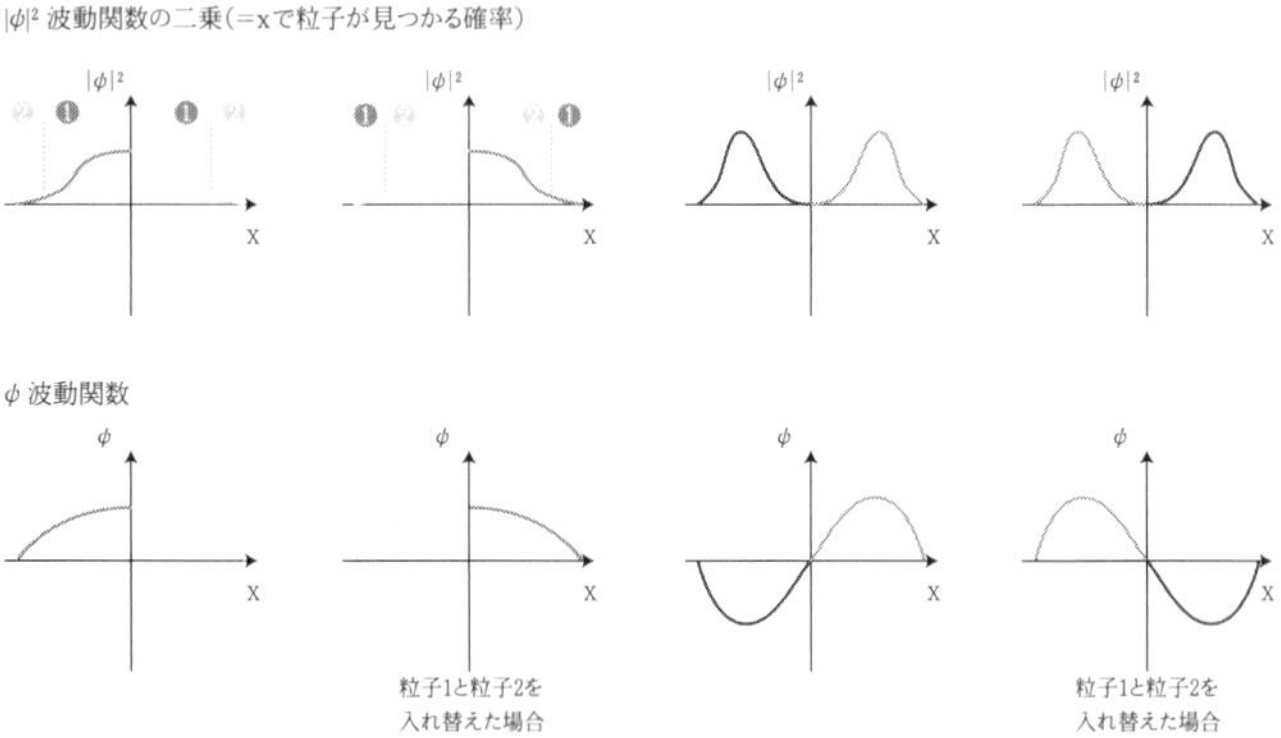

ボゾン二粒子波動関数の概念図
——交換対称性

フェルミオン二粒子波動関数の概念図
——交換反対称性

xは粒子❶を起点にした粒子❷までの距離を表す。xが正ならば粒子❷が粒子❶の右に、負ならば左にある。それぞれ右の図は粒子❶と粒子❷を入れ替えた場合を示す。xが正で粒子❷は粒子❶の左に、負で右にある。

左の「ボゾン二粒子波動関数の概念図」では、粒子を交換すると波動関数φは元のものとおなじである。粒子の距離xが0のとき、波動関数はどのような値も取り得る。

右の「フェルミオン二粒子波動関数の概念図」では、粒子を交換すると波動関数φは元のものにマイナスをつけたものになる。二粒子の距離xが0のとき、波動関数の値は0である。

ある。ちょうど祥太と晃太の双子兄弟がかたく腕を組んでぴったり並んで遠方を歩くとき、たとえ貴女であっても二人の区別がつかないように、このときの二粒子にあっては、「量子力学に特有の識別性の消失」が実現しているのである。

多数のボゾンを集めた系のなかでエネルギーが最も小さいのは、エネルギー最低の量子状態にすべてのボゾンをおくときである。粒子を10の23乗個といった巨視的な数だけ用意すれば、われわれ人間の見えるスケールで、すべての粒子が完全に同一の量子状態に収

【右ページの図の補足】

二つの粒子の識別不可能性を量子力学的に表現すると、「波動関数の絶対値の二乗が、二つの粒子の仮想的な交換に対して不変性を持つ」となる。波動関数の絶対値の二乗が粒子たちが観測される確率分布関数を与えるからである。この不変性を保証するには、二つの粒子の仮想的交換で波動関数が「不変にとどまる」か「形は不変だがマイナス符号がつく」のいずれかの性質をもてばよい。（なぜならばマイナス1を二乗すれば1になるからである。）前者が光子や中間子が属する「ボゾン粒子」の場合に成り立つ「交換についての対称性」、後者が電子や陽子が属する「フェルミオン粒子」の場合の「交換についての反対称性」である。

交換反対称なフェルミオンの波動関数は、二つの粒子が同じ位置にあるときゼロの値をとり、これは二粒子が同一の位置をとる確率がゼロであることを意味する。二つのフェルミオン粒子が同一位置を占められず、互いに排除する傾向をもつこの事実を「パウリ排他率」と呼び、二電子間の反発力はこれに起因している。もし二電子を「交換についての反対称性」に抗して無理に近づければ、二電子はより高いエネルギーを帯びるだろう。それは二電子を再び離して元に戻したのちも残って、二つは近づける前に比べて「熱く」なっているだろう。通常の二つの球では、このような現象は観測されない。通常の「弱い識別性」と「量子力学特有の弱い識別性」との違いはこのことからも明らかである。

まった「ボーズ＝アインシュタイン凝縮」という特別な物質状態を作ることができる。この例外的な状態では、すべての粒子が我々のスケールにあってまで同一の属性をもち、単一の状態を占めて全く識別不可能なのである。

1937年、モスクワの物理学者ピョートル・カピッツァが、それまで気体でしか存在しなかった「ヘリウム4」を、－270.98℃の超低温で液体にすることに成功した。ヘリウム4は、共にフェルミオンである陽子と中性子を各二つづつ集めた原子である。偶数個集まったフェルミオンは全体でボゾンとして振る舞う性質を持つため、ヘリウム4原子はボゾンとなる。

カピッツァはそこで「超流動現象」を観測した。液体ヘリウムがまるで生きているかのようにビーカーの壁を登り、細管から湧《わ》きだし噴出したのである。翌1938年、パリにいたドイツ出身の物理学者フリッツ・ロンドンが、超流動現象はボーズ＝アインシュタイン凝縮の明確な証拠であることを理論的に証明した。全体で一つの量子波動関数として振る舞うボーズ＝アインシュタイン凝縮体は、通常の流体方程式には従わず、古典力学的には不可能な、重力に逆らって壁を伝わる成分まで含むのである。巨視的スケールに顕《けん》現《げん》した量子状態であるボーズ＝アインシュタイン凝縮は、超流動の他にも様々なエキゾティックな性質をもち、今でも多くの極低温物質を用いてさかんに研究され、今後の技術的応用にも期待がかかっている。

同一にして識別不可能な微視的世界の粒子たちは、われわれのスケールに立ち現れるに際して漸次《ぜんじ》的に識別可能性を帯《お》びてくる。そしてまた量子世界の識別不可能性は、例外的状況でわれわれのスケールにそのまま噴出することもある。現実世界のただなかに溢《あふ》れでた、ライプニッツ的なモナドの噴水としての超流動現象。とても心晴れやかになる情景ではないだろうか。

瓶から噴水のように噴出するボーズ
＝アインシュタイン凝縮体

③ 街

どうして人間は
ただの血のつまった袋ではないのか。

——フランツ・カフカ

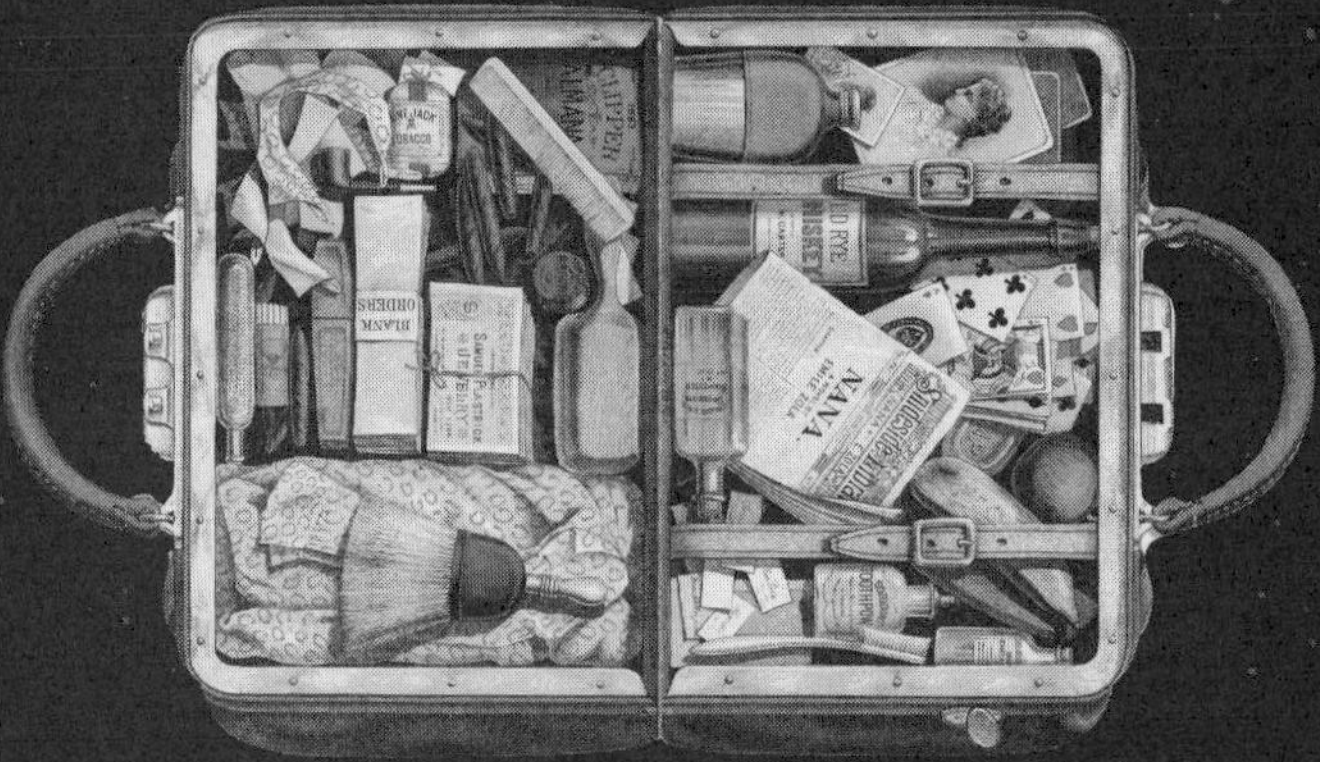

＊＊＊＊＊＊
第11夜
＊＊＊＊＊＊

帝国興亡方程式

歴史を見渡すと、諸民族の興亡《こうぼう》や王朝の交代が頻繁《ひんぱん》で、人の世の移り変わりは諸行無常、定めなきことが定めであるようにも見える。それでも歴史書を紐解《ひもと》き、国々の変遷をやや仔細《しさい》に見るならば、定めなき定めには、定めないなりの何か、定めとまでは言わずとも、類型や典型といったものがあることに、気づかざるをえない。

国は興《おこ》り国は亡《ほろ》ぶ。その間200年300年、通常長くて500年。歴史に名を残すほどの民族は大をなしてのち、一度傾きかけた国を再興させ大帝国を築いてから、やがて黄昏《たそがれ》の夕陽のごとく緩やかに傾いていく。

なぜ栄えた国が永続することなく傾いていくのかというのは、古来からの多くの史書の議論の的であって、これは当然歴史家に限らず、歴史に学んで自らの行く末を考えようとする万人の関心事である。

個々の事象の連鎖を超えた、国家興亡の必然のダイナミクスが存在するのではないか、ということを初めて明快に論じたのは、14世紀アラビアの史家、アブデルラフマーン・イブン・ハルドゥーンである。北アフリカの3～4世代ごとの頻繁な王朝交代劇を目にし、自らも政治家としてその過程にかかわったイブン・ハルドゥーンの歴史観は、国の物質的経済的盛衰《せいすい》と人々の連帯心、公共心、尚武《しょうぶ》の気風といった精神的資源が相関して時間差をともなって変動する、というもので、これは今のわれわれが見ても非常に現代的なものである。

血みどろの内乱をくぐり抜けて一つとなった若く猛々《たけだけ》しい部族が、瞬《またた》く間に諸国を統一して大きな王国を築き上げる。支配者となった人々が数世代を経て、安逸《あんいつ》と奢侈《しゃし》の蜜に毒されていく。制度の整った国はそれでも拡大し、成功の分け前にあずかろうという人々の当然の希望は、妬《ねた》み嫉《そね》み派閥争いを生み、それは絶えざる支配層拡大圧力となる。人々は公共心や団結心（イブン・ハルドゥーンが「アサビーヤ」の名で呼んだもの）を失い国事に無関心となる。

人々の身のまわりの世話から始まって、宮廷の運営から戦《いくさ》まで、すべて辺境の民や異人たちの手に委《ゆだ》ねられるようになり、屋台骨のかしいだ家のように、国は内乱と外《がい》寇《こう》でやがて傾いてゆく。そして国は滅び、辺境の若々しい気風をもった異人たちの新しい国で置き換わり、歴史の新たなサイクルが始まる。

*

時は流れ歴史は巡《めぐ》って21世紀の初頭、イブン・ハルドゥーン史観の構造を現代的視点で再考しようとしたアメリカ人がいた。コネチカット大学の数理生物学者、ピーター・ターチン博士である。

人はなぜ国家を作るのだろうか。それは人が自由を求めるからである。孤立した個人を待つのは自由ではなく隷属《れいぞく》である。なぜなら孤立した個人は自然環境、または団結した集団との争いに必ずや敗《やぶ》れるだろうから。自然環境や他の集団から自らの主権を守ることのできるほどに強く団結した集団のなかで、いかにして個人の自由を保障するのか、これこそが社会集団を構成する人間の永遠の課題である。

第11夜

帝国興亡方程式

個人の内的精神的充溢《じゅういつ》と社会集団の量的物質的拡大との間の葛藤《かっとう》、そのなかにこそ国家の興隆と衰退のサイクルの謎を解く鍵があるのではないか。ターチンはこれを数理の枠組みに載せることを考えた。彼はイブン・ハルドゥーンの描像をたった二つの量で表すという大胆な仮定をおこなった。人口もしくは領土面積、または国民総生産といった物質的尺度を数値で表現する「国力」と、自由の追求、団結心、公共心といった個々人の精神的資源に発する社会的凝集《ぎょうしゅう》力を数値で表した「アサビーヤ」とが、非線形連立微分《びぶん》方程式に従って相関発展するモデルを提案したのである。

驚くべきことにこの方程式は、国家が一度大発展をして滅ぶさまを記述していることを、ターチンは発見した。それは数理生物学者ターチンがこれまで

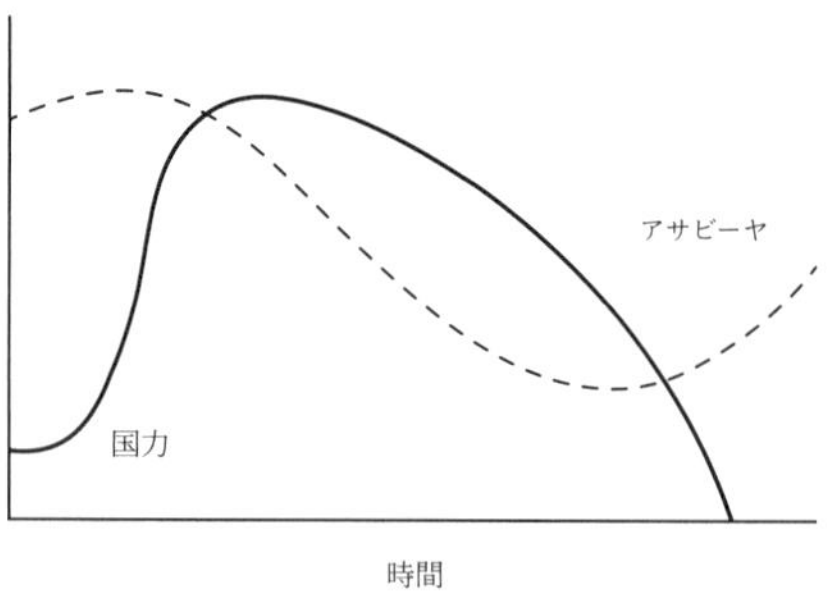

ターチン方程式の典型的な解。国力とアサビーヤの時間変化を表している。国家の興隆と滅亡がみられる。

扱ってきた、生物種の時間的発展をモデル化した「ロトカ＝ヴォルテラ方程式」には決してみられない性質であった。

ターチンはこの方程式で発展するいくつかの国が地理的に隣接する状況を考えた。隣接国の大きさに十分な差ができた時点で、弱小国が強大国にある確率で吸収されると想定して、いくつかの地域の歴史上の国家分布から出発して、コンピュータ・シミュレーションをおこなってみた。すると実際の歴史の進行と似た発展パターンを得ることができたのである！　ここにその一例、唐からモンゴルに至る中国とその辺境の歴史を示してみる（次ページ）。

多くのパラメータ・フィッティングをともなったこの結果自体を、どれほど真に受けるかは意見が分かれるだろう。しかしターチンのシミュレーション

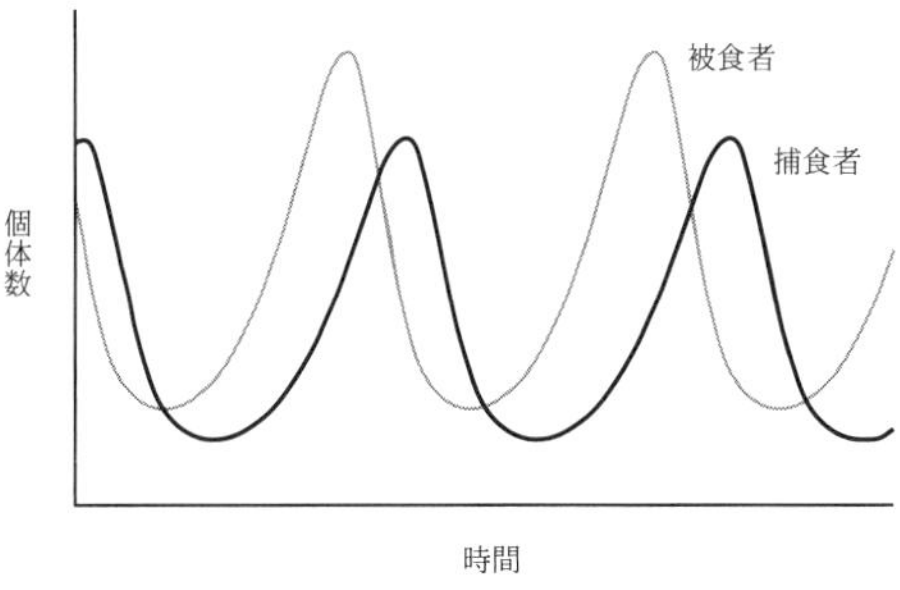

ロトカ＝ヴォルテラ方程式の解の一例。これは例えば草原にすむシマウマとライオンからなる生態系で、被食者シマウマの頭数と捕食者ライオンの頭数がどう変化するかを記述する方程式である。これを解くことで、両者がタイミングをずらしながら増減をくり返す現実の様子が再現される。

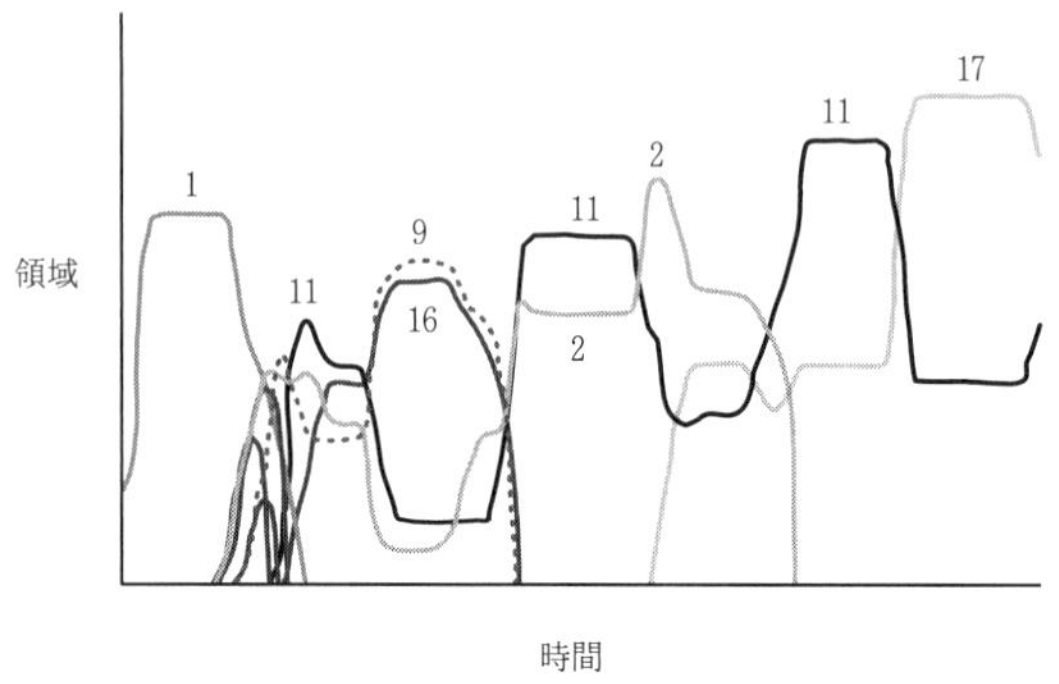

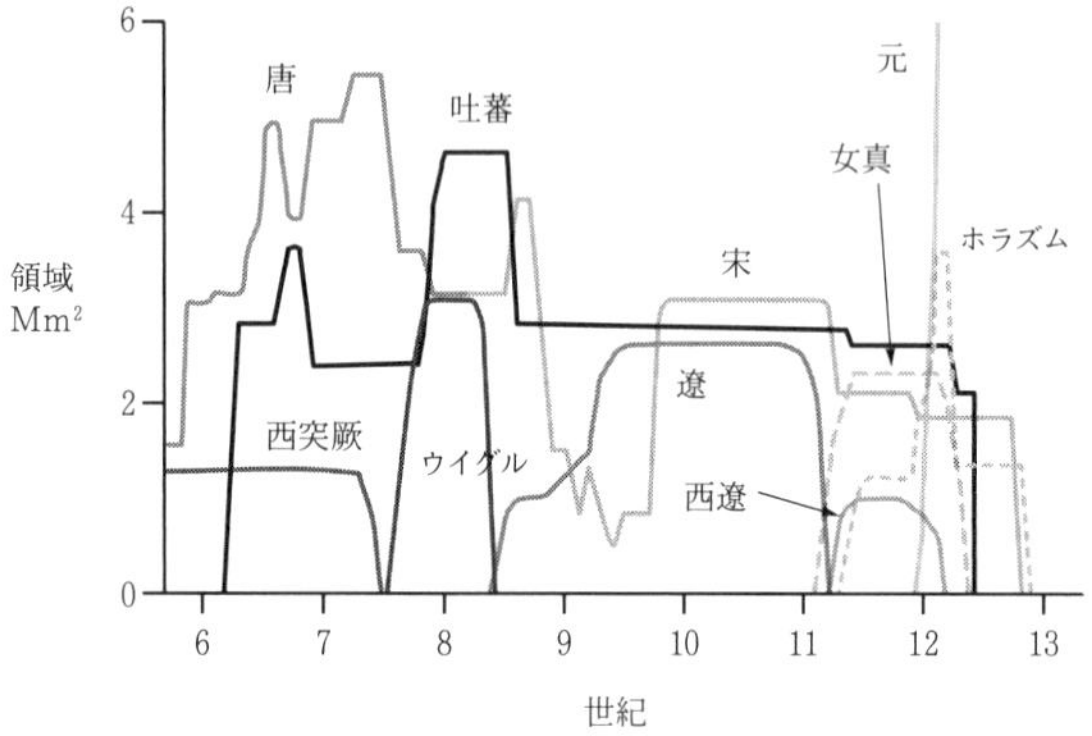

唐代から元代までの中国とその周辺の国家群の興亡のモデル。上はターチン方程式に基づいたシミュレーションで、下は歴史的データから推定再現したものである。シミュレーション結果は、唐（1）宋（2）元（17）の交代継承と、交代時の周辺国家の群生の様子を、大略において捉えている。

の対象は、この一例だけではなく、時代地域ともに多岐《たき》にわたるものである。それらの結果と歴史データとの統計的解析から、モデルの有効性がはっきりと示されていると、彼は考えている。

ピーター・ターチンは自らの方程式の一般的有効性を実証するため、各国の歴史文献から組織的に定量的指標を抽出する作業を始めている。そこには人口、食料生産量、陶器の変遷や武具の変遷といった従来のハードな考古学的歴史的データにとどまらず、人名の変遷、文学の変遷の定量的指標といったソフトなものも含まれる。例えば万葉の人麻呂《ひとまろ》の雄渾《ゆうこん》な歌には古代末期の拡張的心性がよく看取《かんしゅ》され、新古今の定家の繊細なマニエリスムには私的逸楽《いつらく》を重視する鎌倉期の空気が読みとれるだろう。こうした歴史ビッグデータの蓄積は、ターチン方程式の検証にとどまらず、世界宗教の起源や伝搬《でんぱん》についての定量的新研究という副産物を、すでに生み始めている。

歴史に関する言説を、微分方程式で表される「力学系」という定量的な記述の枠組みに載せさえすれば、あとはモデル化の精度の範囲内で定量的確定的な予言を得ることができて、その言説の真偽を歴史のデータに照らして判別することができる。それが可能な現代に、定性的な文献のみに基づいて、主張と対立主張の水掛《みずか》け論のような歴史論戦を、いつまでも続けることができるだろうか。

数理的な歴史記述は、今のところまだ素朴で図式的なもので、社会学者や歴史学者からすれば、現実の粗《あら》すぎる戯画《ぎが》にすぎないと思われるだろう。しかし一方、細菌の集団、動物の集団、さらには企業の集団の動力学を成功裏に記述する数理生物学的手法が、人間の集団にだけは決して適用されないと考えることは困難である。そしてこの戯画が頑強な数理的背骨をもつ事実は、この粗い描像にまだいくらでも健全な発展の余地があることを示唆《しさ》している。政体2つの競合を考えた4自由度系にどんなドラマが隠されているだろうか。3政体6自由度の織りなす三国志はどのようなものであろうか。

力学系理論の教科書を開いて目次を見れば、そこには「終着状態分岐」「安定状態と危機」「事象のカスケード」「カオス的奇妙な終着状態」といった文字が見つかる。あたかもわれわれのまわりの社会事象に関するかのようなこれら諸概念は、すべて厳密な数学的定義をもつ力学系理論の熟語なのである。自らが歴史事象の記述に適用されるのを、これら諸概念が今か今かと待っているさまを想像してみようではないか。

数理物理学的または数理生物学的な道具立てだけに依《よ》って、人間社会や歴史を研究することはもちろんできない。社会学や歴史学の研究には、今後も今まで通り、地道な文献収集作業と人間性の深い哲学的理解に裏打ちされた広範な教養とが前提になるだろう。しかしながら、数理生物学と複雑系科学の最近の進展を見るにつけ、社会学者や歴史家といえども、数学や物理学との無縁を、いつまでも決め込むわけにはいかないのではないか。

いやそうではない。きっと今世紀半ばの社会学や歴史学は、数学的言語と道具立てを自在に使いこなす学問になっているのではないか。人間が過去に学んで、同じ愚《ぐ》を何度もくり返し続ける悲劇を避けるための定量的科学として、新世紀の人文学の先陣《せんじん》を切っているのではないか。筆者にはそのように思えるのだ。

ちょうど星々や銀河の波乱に満ちた一生を、天体物理学の方程式がわずか数行に封《ふう》ずることができるように、もしも民族や王国の興亡の秘密を、歴史力学《ヒストリア》の数行の方程式が語り始めるのだとするならば、それはとても魔術的な、心躍る物語であるに違いない。

＊＊＊＊＊＊
第12夜
＊＊＊＊＊＊

オマル・ハイヤームの墓

——亡き恩師、有馬朗人博士に捧ぐ

厭世《えんせい》的で自由奔放、刹那《せつな》的で耽美《たんび》的な四行詩ルバイヤートで知られる中世ペルシャの詩人、オマル・ハイヤームの本職は天文学者であった。

ないものにも掌《て》のなかの風があり
あるものには崩壊と不足しかない。
ないかと思えば、すべてのものがあり、
あるかと見れば、すべてのものがない。

11世紀末のペルシャ、セルジューク家のスルタン、マリク・シャーの御代、首席宮廷天文官だったハイヤームは、イスファハーンの天文台に24ヵ月こもった末、1年は365・24221日であると観測した。そして4年に1度閏《うるう》年を入れて1年を365・25日と決めるそれまでのユリウス暦《れき》に代えて、33年に8度閏年を挟《はさ》んで1年を365・24224……とする「ジャラーリー暦」を定めた。

これは現在の世界の標準である、1年を365・2425日とする「グレゴリオ暦」よりもさらに正確である。現代の精密観測によると1年は365・2421894で、グレゴリオ暦を用いると3300年に1日分太陽の動きから暦《こよみ》がずれてくるのに対し、ジャラーリー暦では5000年経過して初めて1日のずれが出るのである。

ハイヤームの名は数学史にも登場する。彼は三次方程式の解の分類と幾何学《きかがく》的な求解をおこなったが、その手法は600年のちのパスカルの円錐《えんすい》を先取りするものであった。

あのしかつめらしい分別のとりこになった
人たちは、あるなしの嘆《なげ》きのなかにむなしく去った。
気をつけて早く、はやくブドウの古酒を酌《く》め、

愚か者らはまだ熟《う》れぬままに房《ふさ》を摘《つ》まれた。

天国にはそんなに美しい天女がいるのか？
酒の泉や蜜の池があふれているというのか？
この世の恋と美酒《うまざけ》を選んだわれらに、
天国もやっぱりそんなものにすぎないのか？

スルタン・マリク・シャーは弱冠37歳で病没した。王位を継いだ信心深いマフムードには、ハイヤームの自由精神は全く理解できなかった。王国の暦を正した功績は、富貴《ふうき》の代わりに追放で報《むく》いられた。

法官《ムフティ》よ、マギイの酒にこれほど酔っても
おれの心はなお確かだよ、君よりも。
君は人の血、おれはブドウの血汐《ちしお》を吸う、
吸血の罪はどちらか、裁けよ。

死んだら湯灌《ゆかん》は酒でしてくれ、
野の送りにもかけてほしい美酒。
もし復活の日ともなり会いたい人は、
酒場の戸口にやって来ておれを待て。

イスラームにあって飲酒はコーランの禁ずるところである。風紀取締《とりしま》りの厳しい世となり、隠れゾロアスター教徒、はては無神論者の嫌疑までかけられた彼は、メッカ巡礼に向かわざるをえなくなった。

神のように宇宙が自由にできたらよかったろうに、
そうしたらこんな宇宙は砕きすてたろうに。
なんでも心のままになる自由な宇宙を
別に新しく作り出したろうに。

スルタンの崩御《ほうぎょ》が相次ぎ、王子たちの政争が激しく、王国は乱れた。時を経て学問好きのスルタン、サンジャールの御代となり、オマル・ハイヤームは再び仕官を命ぜられた。天気の予報をしろというのである。年老いた彼には、もはやその力は残っていなかった。

この永遠の旅路を人はただ歩み去るばかり、
帰って来て謎を明かしてくれる人はない。
気をつけてこの旅籠《はたご》屋に忘れ物をするな、
出て行ったが最後二度と再び帰っては来れない。

宮廷のあったバルフでの彼の晩年については、弟子の一人だったサマルカンドの詩人、ニザーミー・アルーズィーの証言が残されている。

法官や将軍、学者たちのあつまった夜会で、私はハイヤーム先生が語るのを聞いた。「私の墓は年に二度、風に散る花びらで埋《う》まる場所にできるだろう」と。そのようなことは不可能に思えたが、彼が空言を弄《ろう》する人ではないのを知っていたので、その言葉を覚えていた。それから13年ののち、ニーシャプールを旅していた私は、ハイヤーム先生が4年前に没し（彼の魂に神の御加護がありますように）、亡骸《なきがら》は生地《せいち》だったこの街におかれたことを知った。金曜の夕方にヒーラの墓地を訪ねると、壁にそって墓所があり、その上に桃《もも》の木と梨《なし》の木が枝を垂《た》らしているのが見られた。春風が梨の花を散らし、白い花びらに墓石はすっかり覆《おお》われていた。バルフの街での言葉が蘇《よみがえ》り、私は涙した。彼のような人物が再び地上を歩くことがあるとは思えなかったのだ。

アルーズィーの言葉のおかげで、オマル・ハイヤームの墓所は今日まで伝えられ、春ごと花に埋もれている。

第**12**夜

オマル・ハイヤームの墓

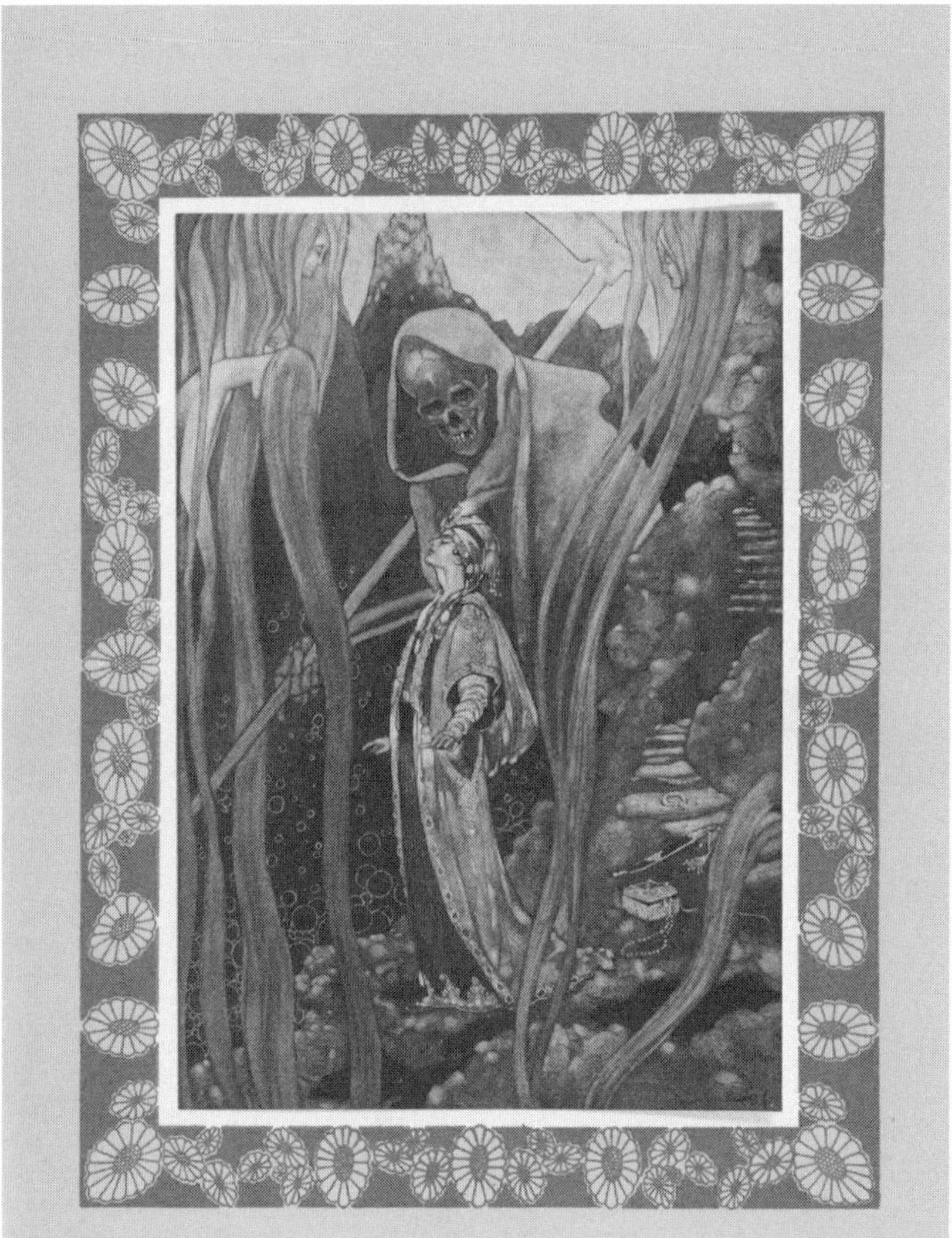

＊＊＊＊＊＊
第13夜
＊＊＊＊＊＊

多数決と冷笑家

多数決による集団の意思決定を正当化する議論には二通りある。一つは「力の釣《つ》り合い」を考えたものであり、もう一つは「便《べん》益《えき》の効率」を考えたものである。各人の力はどれも大体同じようだと考えれば、集団のなかで意見が割れて争いになった場合、数の多い方が勝つのは目に見えている。争う前に多数の決定に従うことで手を打つ方が賢いだろう。これが第一の考え方である。

第二の考え方では、決定の「正しさ」を便益で測る。個人が選択をおこなうとき、知識や情報の不足から正しい選択をする確率は1より小さいだろう。簡単な計算でわかるが、3人の多数決による選択が正しい確率は、個々人の確率より高い。5人だともっと高くなる。参与する人数が大きくなるにつれ確率が1に収束することが、18世紀のフランスの思想家コンドルセによって示されている。

同じ民主主義者でも、第一の考えをとるのが「現実主義」の右派であり、第二の考えをとるのが「理想主義者」な左派だろう。

一つ注意すべきは、両者とも違った道筋で容易に多数決民主主義から逸脱《いつだつ》しうることである。力のバランスを考えた場合、武器の質や購入する財力に個人間で大差がある場合、単純な多数決よりも、力の強いものに重みをつけた意思決定の方が、集団の収まりがいい。そのとき右派は強者の独裁に走るのではないか。一方個人間で認知能力や情報収集力に差がある場合、「無知な大衆」は差しおいて、わかる人だけでものを進める方が効率がいい。左派はそのとき多数決を裏切らないだろうか。

人々の間には現実に大きな富の差や知識の差がある。なぜ多くの社会で今でも多数決民主主義が尊重され、続いているのか、これは考えてみれば現代の大きな謎だとも言える。

この謎に一つの答えを与えたのが、フランスの社会物理学者セルジュ・ガラム博士の「世論力学理論」である。ガラム博士の出発点は多数決の現場の冷徹な観察である。

大抵の場合、意思決定にあたって人々が実際におこなっているのは、力でも知識でもなく、身のまわりの人々の意見に従うことである。テレビ番組や新聞記事いくつか、信頼する友人数名からの情報を集めての判断となる。ガラム博士はこれを、集団全体が小グループに分かれて、各人がグループ内の多数決に基づいて意見の調整をする過程として考察した。

社会全体に何かの提案がなされて、賛否の二つの選択があるとしてみよう。ガラム理論では、人間を「浮動《ふどう》型」「固定型」「逆張り型」3種類のタイプに分ける。「浮動型」は小グループ内での多数決に従う。これはまわりの多数意見に従いがちな通常の人間のモデル化である。「固定型」の人々は賛否いずれかが決まっていてつねに不変である。上で右派左派と呼んだような、定見をもった人々がこれに該当するだろう。世にはさらにまわりに同調せず、ことさらに皆と逆の意見をいう一群の人がいる。それを表現した「逆張り型」は、小グループ内多数決の結果の反対の意見をとる。

小グループで意見調整を済ませた後、グループは解散し、各人はまた違った組み合わせの小グループを作って意見の調整をおこなう。任意の意見分布から出発して、このプロセスが何度もくり返されて、しまいに安定した意見分布に収束《しゅうそく》したものが世論である、と考える。少し人為的に思えるが、よく考えるとこれは、社会のなかの意見の形成の現実を巧妙に表現している。

まずは逆張り型が不在で、社会が固定型と浮動型だけからなる場合を考える。各人が小グループでの意見調整をくり返すというシミュレーションをおこなうと、固定型が少ない場合、最終的な賛否は、意見調整前の最初の賛否の多数派に収束する。つまり通常の多数決がおこなわれたことになるのだ。ところが固定型の比率がある閾値《しきいち》以上になると、浮動型も含めた最初の賛否分布によらずに、固定型の意見が「自動的に」勝ちを占めることになる。この閾値は小グループの人数によるが、それが3人である場合は17％、5人だと21％、9人で26％、21人で32％である。つまり世論を主導するのは2〜3割の団結した少数者でありうるのだ。

当然ながら固定型には二種類、賛成固定型と反対固定型がありうる。この両方がいる場合は少し複雑で、例えば初期の賛否にかかわらず賛成固定型が自動勝利するための比率の閾値は、反対固定型の比率に応じて大きくなっていく。

初期賛成比率をいろいろに変えたときの、世論の収束先を描いた図1で、状況は明らかだろう（この例では小グループのサイズは9人としている）。横軸が賛成固定型の、縦軸が反対固定型の全集団内での人数比率である。「賛成」と書かれた領域では初期の賛否比によらず最終的に賛成多数になり、「反対」と書かれた領域では反対多数となる。「賛／反」と書かれた部分が、浮動型を含めた全員の初期賛否が、最終結果に反映される「民主的」な領域である。賛成固定型、反対固定型両方の比率が十分多いと、浮動型の意向には無関係に、固定型だけの数争いで結果が決まることも読みとれる。

多数決は現実に適用されるとき様々な形をとることができる。力ある少数者たちは、現実主義者であれ理想主義者であれ、民主主義のもとでも意思決定を左右でき、あえてあからさまな独裁を敷く必要がないのである。

集団のなかに第三の型である「逆張り型」が混ざっている場合はさらに興味深い。それは図2を眺め

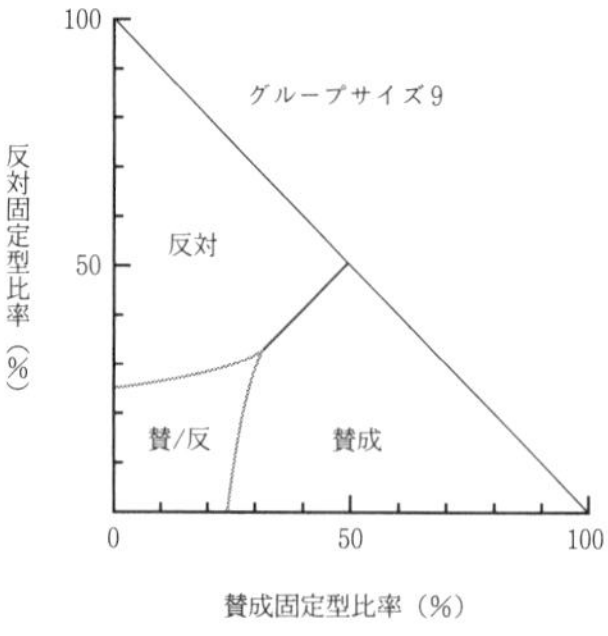

図1

ることで明らかになる。固定型を取り去った残りの人々のうち、左の図では10%、右の図では20%が天《あまの》邪鬼《じゃく》な逆張り型だとした場合の、最終世論の領域が描かれている。民主的な多数決が曲がりなりにも機能している「賛／反」の領域が、逆張り型不在なときに比べてずっと狭まっている。少数グループのサイズが9人で、浮動型の10%が逆張り型で置き換わっている左の図の例を見ると、仮に反対固定派がいなければ、賛成固定型が自動勝利するには17%ほどいればよいことになる。

すこし考えると、天邪鬼は何にでも反対するので、彼らがいることで固定型の影響が弱まって「民主的」領域が増えるように思えるが、事実は逆である。多数決民主主義における逆張り型は、強者の自動勝利を後押しするのだ。

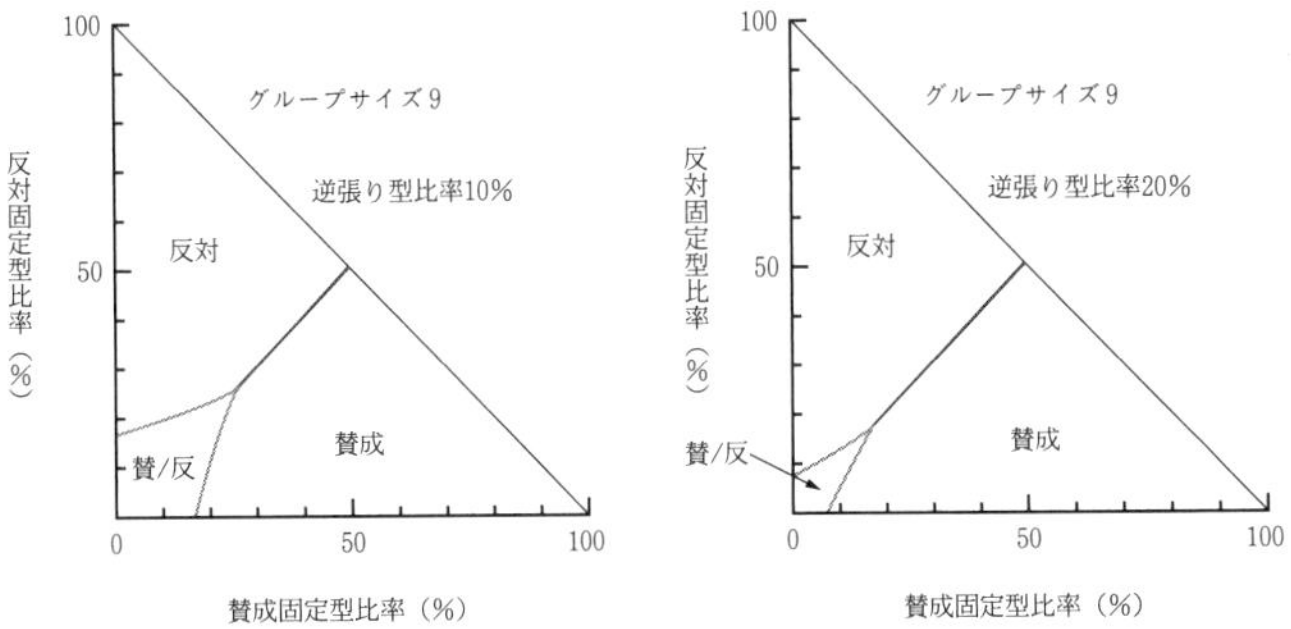

図2

その理由は逆張り型が、賛否を毎回ランダムに決める「デタラメ型」に似ていることに気づけば理解できる。デタラメ型は状況にかかわらず賛成反対を均等に選ぶので、その半数の逆張り型がいるのと同等なのである。そしてデタラメ型は統計的に見れば実質白票と同等なので、集団全体の実質人数を減少させる。結果それは、固定型が世論を支配するための閾値を下げることになり、浮動型の意思決定からの除外を促進するのである。

固定型が世論を支配する領域のうちで、賛成反対の両固定型が拮抗《きっこう》したあたり（図の中央右上がりの直線近辺）は世論分極の領域である。社会がこの領域にあるとき、少しの状況変化が頻繁《ひんぱん》な多数派の交代をもたらす「民主主義の危機」がみられるだろう。この不安定な領域が大きくなるのも、逆張り型がもたらす結果の一つである。例えば浮動型の20％が逆張り型に置き換わったとき、賛成固定型20％と反対固定型20％は結託《けったく》して、残りの浮動型逆張り型60％を意思決定から排除した上、さらに両者拮抗して、世論の不安定な分極と交替をもたらすことになる。

世には正義を信じない冷笑型の人々がいる。彼らは往々《おうおう》多数決において自分の観測

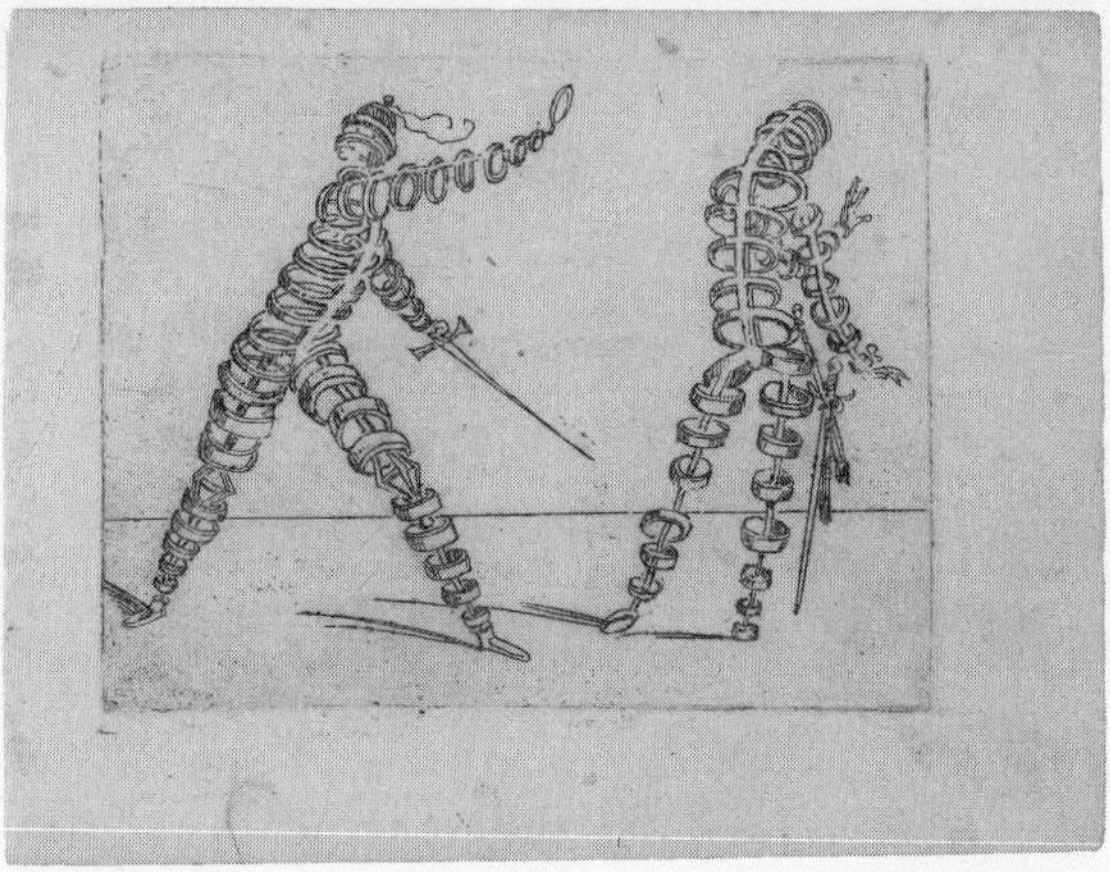

範囲の多数意見に反対する。つまり実質逆張り型である。それゆえ冷笑派が社会にもたらすものは、固定型の力の増強であり、意見の分極化である。冷笑派は無力感を植え付け、伝染して冷笑派をさらに増やすという特徴ももっており、多数決による集団意思決定のなかに巣食う一種のがんのようにさえ思えてくる。固定型が立場を強めようと、冷笑派をわざと社会に放つ戦略をとるかもしれない。ネット上ではすでに実際そういうことがおこなわれているとの説も仄聞《そくぶん》する。

個別利益のみに固執して、社会全体の利益を端から考慮しない人たちもある。これも全体議題に無関係な賛否の選択をするのでランダムな雑音として機能し、結局このような反社会派も実質逆張り型となる。ランダムな雑音、または白票としての逆張り型は、固定型の拮抗と組み合わさった場合、多数決民主主義の健全な運営を阻害するので、社会は冷笑派、反社会派を抑える手立てを用意しておくべきだろう。

しかし一方、逆張りには重要な役割がある。社会の多数が「間違った」道に嵌《は》まり込んでしまったとき、修正をかけられるのは彼らしかいない。逆張り型の心性は、多数に流れない自主独立思考、自由精神とも親和的である。冷笑的逆張りにもつながるが、革新には不可欠の自由精神。これをいかに手懐《てなず》け使いこなすかは、われわれの多数決民主主義の将来にとって決定的に重要だろう。SNSによる直接的な多数意見形成がおこなわれつつある現在ではなおさらそうである。

屁理屈《へりくつ》屋、偏屈《へんくつ》者、つむじ曲がりといった一匹狼は、本物の独裁の下で真っ先に沈黙させられるだろう。迷惑で面倒くさい冷笑家が新思考の種として存続しつづけることこそが、民主主義が独裁に勝る主要な利点なのかもしれない。

＊＊＊＊＊＊
第14夜
＊＊＊＊＊＊

インターネット世論と社会物理学

ソーシャル・ネットワーキング・サービス（ＳＮＳ）は技術者や科学者の自由闊達《かったつ》な雑談室として始まったが、時を経ずその新しい社会のインフラとしての可能性に注目が集まった。個人間のつながりが空間の制約から解放され言論の自由が広まるだろう。古い常識を壊す多様な議論がより公正な社会的合意をもたらすだろう。

爾来《じらい》20年、世界を覆《おお》う生活インフラとなったＳＮＳ上で実現したのは、視野の狭いイデオロギー集団が跋扈《ばっこ》する、刺々しさで気の休まることのない言論世界である。それは現実世界に染み出し、民主主義の合意形成過程を脅《おびや》かしている。個々人の良質な意見が電子的に集約される「一般意志2・0」の夢は潰《つい》えたのだろうか。

分断の実態は学術誌上の「反響室効果」の研究から窺《うかが》い知ることができる。ネット上で人は「エコー・チェンバー」、すなわち反響室のなかにいて、仲間の口から自分の意見のくり返しばかり聞かされ、世論の分断が進行するというのである。

PNAS誌上に最近掲載された、マッテオ・チネッリ博士たちイタリアのグループの研究を見てみよう。「地球温暖化」「ワクチン接種」といった事項について、SNS上の発言の分析からユーザー個々人の立場に−1から1までの数値の「賛否度」を割り振る。反対に−1、賛成に1、中立に0、という具合である。そしてユーザーの賛否度を横軸に、ユーザーのフォロワーたちの賛否度の平均を縦軸にしてグラフの平面上に点を打っていく。何十万というユーザーから作られたグラフには、大多数の点が集まる二つの分割された領域ができていた。自分もフォロワーも賛否度が高い「右上の」領域と、自分もフォロワーも賛否度が低い「左下の」領域である。ほぼすべてのSNSユーザーは、賛成派もしくは反対派だけからなる同質の仲間だけの、エコー・チェンバーのなかに棲《す》んでいるのである。

成熟につれてネット世界が、ある意味で現実世界に似てきたのかもしれない。われわれは日頃、程度はともあれ、立場の異なる人の言説を避けて、業種ごと派閥《はばつ》ごと棲み分けて生きている。マスメディアもおおよそ新聞社ごとテレビ局ごとのエコー・チェンバーである。すべては快適にすごそうという、人間の本性に適った行動の結果だろう。それでも社会が成り立つのは、他者との相互作用を律する法律や慣習があり、分極した集団の妥協の場としての間接民主主義制度があるからだろう。これらは分断があまり極端にならないよう、歯止めを与えている。

　ネット世界の激しい断絶と対立は、技術的制度的な未完成に起因するようにも思える。チネッリ論文を仔《し》細《さい》に見れば、フェイスブックではツイッターより極端な世論の分断がみられる。レディットおよびギャブという他の二つのSNSの分析も載っている。粗暴な言説を規制するレディットでは二極への分裂はみられず、そこは「理性の独裁」が支配する左派一色の同質空間である。言論規制の皆無なツイッターと称すべきギャブにあっては、右派中心ではあるがスペクトルの広い

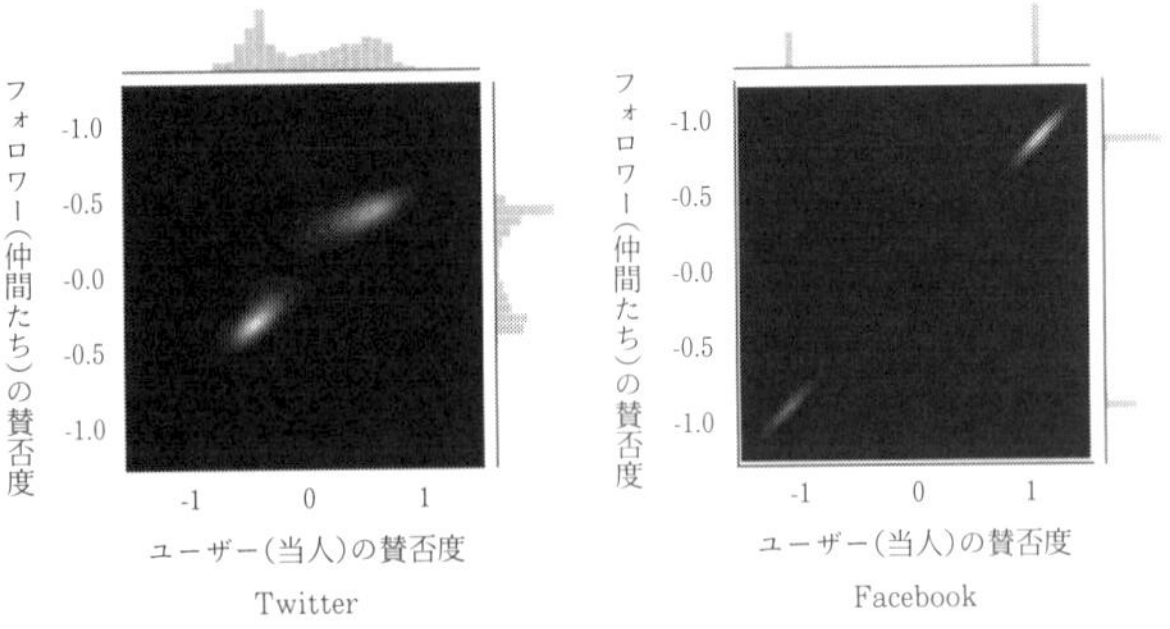

「言論の自由戦士」たちによる、憎悪に満ちた恒久的戦闘がくり広げられている。SNSの制度設計次第で、現実の戯画《ぎが》のような多様な世界が現出するのだ。

注意深い設計によって、多様な視点の言説がそれほど激しく分極することなく、節度を保ちつつ共存するSNSを作り上げることは不可能ではないだろう。またネット世界の刺々しさをもたらす本質的欠陥とされた「身体性の欠如」は、実装段階に至ったヴァーチャル・リアリティ技術によって克服されつつある。

ネット上のエコー・チェンバー発生過程を、同質な人々の間からどのように党派が立ち上がるかの観察場と見做《みな》すこともできる。SNSは現実社会の力学を数理的に研究する「社会物理学」の実証実験室なのである。

確信的右派のメッセージは確信的左派のメッセージ

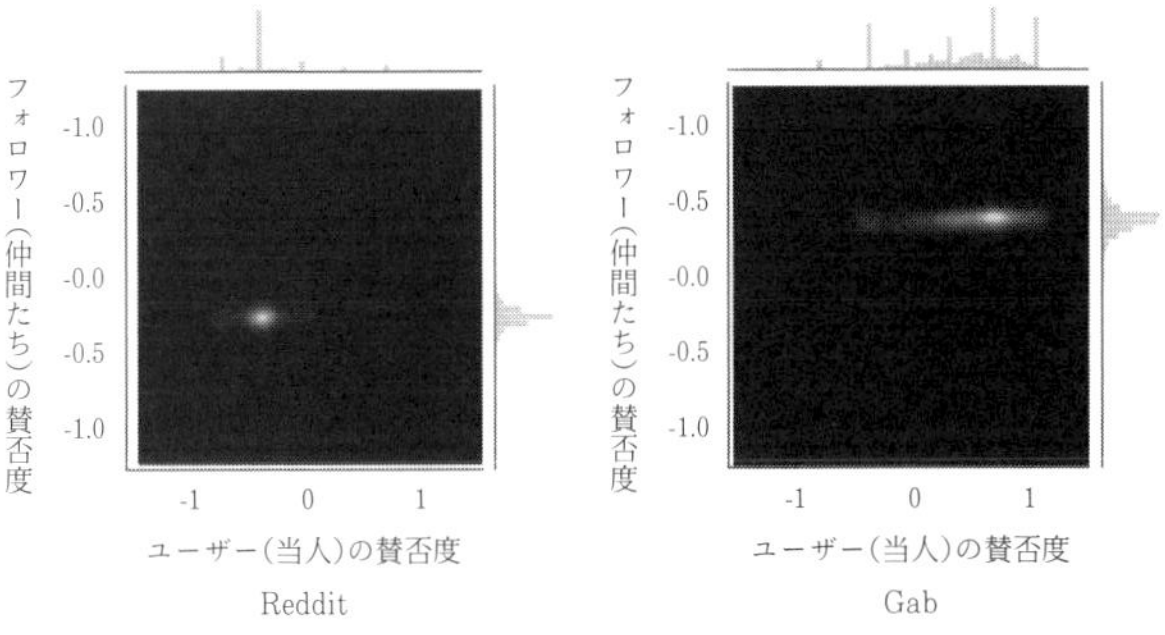

より左右の穏健派に届いている。ツイッター上の元首相をめぐる日本語言説の分析から、このような世論の現状が浮かび上がってくる。これは現状を維持する意見と変更する意見に対する世論の反応の非対称性を示している。多数決民主主義の現場はコンドルセ的な集合知ではなく確信をもった少数者の支配であり、天邪鬼《あまのじゃく》な逆張り派の存在は少数者の主導権を弱めずにむしろ強める。このような民主主義の背理《はいり》の存在を、いまやわれわれは社会物理学の研究から理解できる。民主主義的多数決の現実の働きが露《あら》わになってきたのである。

ネット社会の力学構造の理解によって、エコー・チェンバーの桎梏《しっこく》からわれわれ自らを解放し、インターネットが本来志向していたはずの自由な精神を取り戻すときが訪れたのかもしれない。科学的解明と設計に基づいてよりよい機能的社会を実現する研究が、ネット社会の不条理のなかから立ち上がるのだとすれば、それは人類にとっての祝福であろう。

第14夜
インターネット世論と社会物理学

＊＊＊＊＊＊
第15夜
＊＊＊＊＊＊

位階と不整と文化系統

人は集団のなかでの序列に敏感である。社会組織には命令系統があって、組織が効率よく機能するためには、なかの二人の人間が出会ったとき、どちらが相手に命令を出せるかが（もしくはどちらも出せないかが）明確でなければならない。ＰＴＡや労働組合といった中間団体が、その必要性はわかっていても鬱陶《うっとう》しく感じられたりするのは、学校や会社といった組織のなかの序列を乱し、不確定にするからだろう。

ＰＴＡ会費で購入したクリスマス・プレゼントを、教室で会員の子供だけに配布したいとＰＴＡ会長から申し出があったとき、教師はこれを断れるのだろうか。正規の組織規定のどこにも依《よ》らないこの会長の意思の押しつけは、すべての生徒を公平に扱うという教師の倫理を真っ向否定する、無理筋のゴリ押しのように感じられないだろうか。組織内序列の混乱と軋轢《あつれき》は、個人にはストレスをもたらし、組織には脆弱《ぜいじゃく》さをもたらすだろう。

英国ウォーリック大のサミュエル・ジョンソン博士は、この問題を「方向つきネットワーク理論」という数学的概念をつかって解析した。

例えば今、7人からなる3階層の組織があるとする。メンバーを点（ノード）、指令系統を矢印つきの線（リンク）と見做《みな》せば、組織を図1のようなネットワークとして表現できる。次ページの図1（a）のような軍隊式組織では、各メンバーの階層的位置に不確定性はない。そこで各人の「位階」を次のように定める。まず誰からも指令を受けない者に「位階1」をふる。そして指令を受ける者に、指令を出す者の位階に1を足した位階を順にふっていく。

ここで第2階層のメンバー間に指令関係が発生して、図1（b）のようなネットワーク構造がある状況を考えてみよう。2段目右のメンバーは、いまや位階1と位階2の両方から指令を受けているので、それらを平均して考えれば、その位階は2と3の間の（2＋3）／2＝2・5と考えることができる。その下にいる2人のメンバーには位階数3・5をふればよい。

今度は図1（c）の例を考えよう。中段右は位階1と位階3の2人から指令を受けているので、とりあえず位階数に（2＋4）／2＝3をふる。一方中段左を見ると、今定めた位階3と最上段の位階1の両方から矢印が来ているため、その位階はやはり（4＋2）／2＝3となるだろう。しかし話はこれでは終わらない。最下段の者たちの位階は4と書き換えねばならず、その一つから指令を受ける中段右の位階は（2＋5）／2＝3・5となる。するとそれが波及して中段左の位階は（2＋4・5）／2＝3・25とせねばならず、その影響で最下段左2名は位階4・25となり……という具合に続いていく。これで全体の辻褄《つじつま》があうまで計算を続けていくと、しまいに各人の位階は図1（c）に示したものとなる。

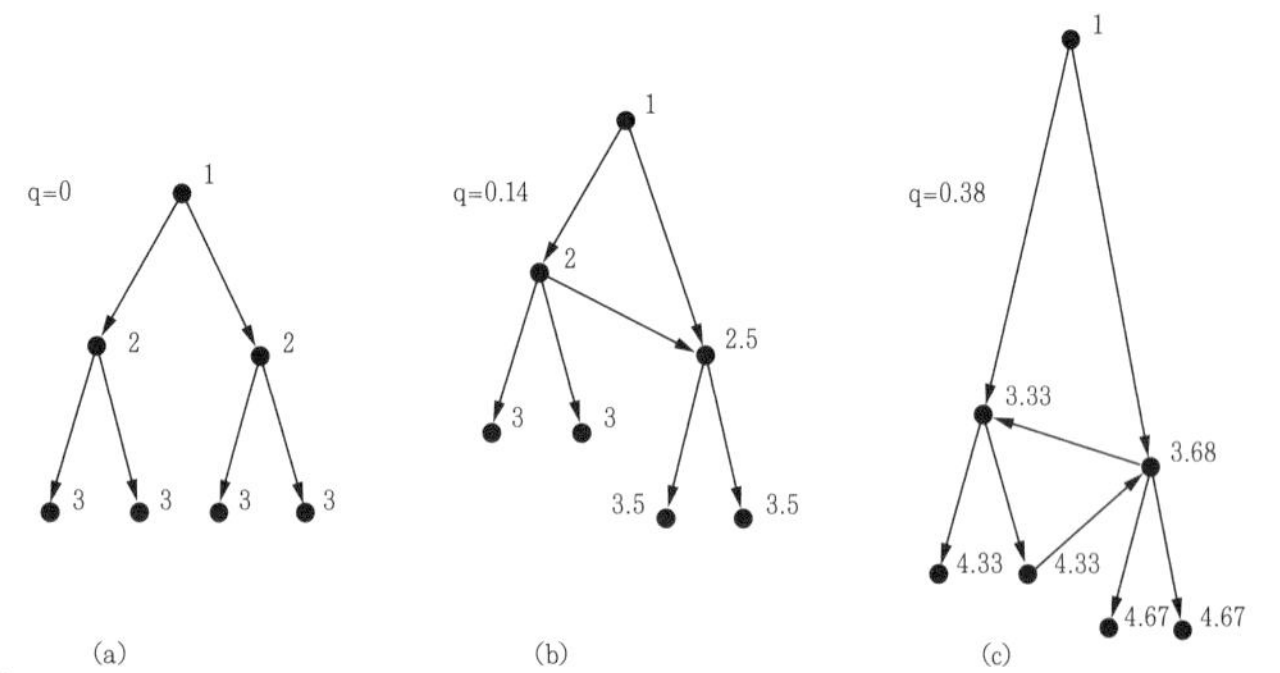

図1

このようにして、複雑な指令系統をもつ組織にあっても、各人の命令系統上の位置づけを与えるのが「生態学的《せいたいがく》位階《いかい》」または「ジョンソンの位階」である。

右の方法では位階の計算には、誰からも指令を受けない者が最低一人必要となる。しかしこれを一般化した「隣接行列とその転置行列の対称化」という数学的手法を用いることで、この制限を取り払って、あらゆる形態の方向つきネットワーク構造について、ジョンソン位階を定める線形方程式系を書き下すことができる。

ジョンソン位階が定められると、今度はそれを用いて、ネットワーク内の指令系統の混乱の尺度を表す「位階不整《ふせい》」という数を決めることができる。

命令系統に不確定性のない場合、矢印の前後のノードの位階の差は1であるが、命令系統が入り組んでくると、それが1からずれてくる。そこで矢印前後の位階の差から1を引いたものの二乗平均を「位階不整」と定義する。これは命令系統に関するネットワーク全体としての方向性の欠如の指標である。組織のなかの緊張関係の度合いの指標と考えることもできる。位階不整の最小値は0、最大値は1である。それは単純なピラミッド型ネットワークで0となり、リンクの矢印が錯綜《さくそう》すればするほど1に近づく。

＊

あなたは組織の部局長で、3人の部下を抱えているとしよう。それは図2（a）のネットワーク構造で表され、位階不整は0である。ついで図2（b）のネットワークで表されるような、2人の部下が何かと理由をつけて、仕事を残り1人に押し付けている状況を考える。一種のいじめである。いじめで悪くなった部局内の緊張関係が、ネットワークの位階不整q＝0.1で表せるという、もっともらしい想定をしてみよう。

あなたは何をすべきだろうか。部局の運営をスムーズにするのに、組織の実情を認めて、いじめられている1人を自分の監督から外していじめている2

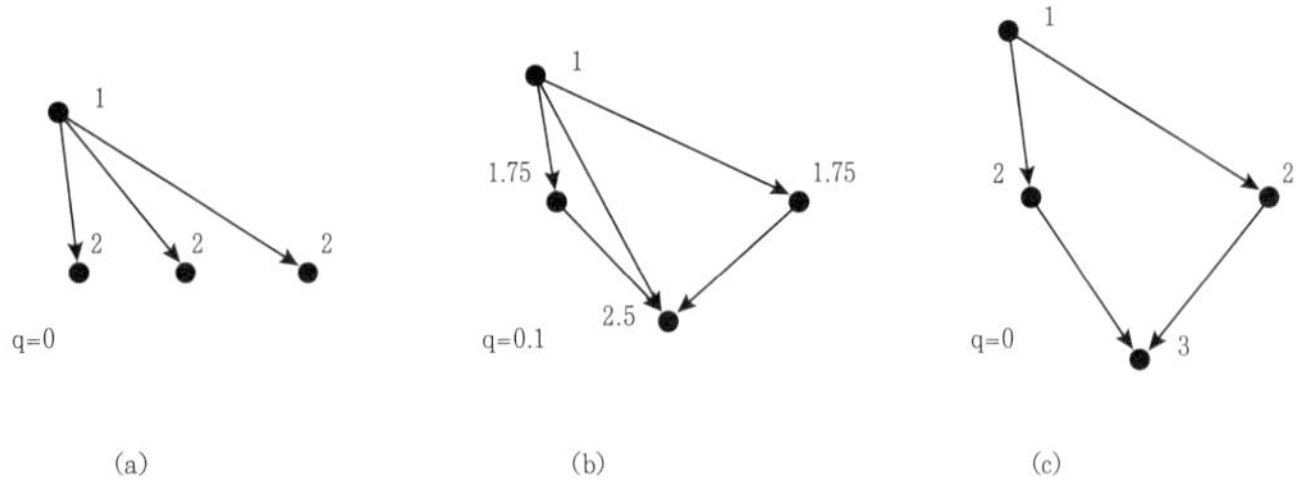

図2

人の管理下におくことで、図2（c）のような位階不整0のネットワークに変えることが考えられる。倫理的には問題ありそうなこの種の組織運営が、会社や学校でよく見出される理由を、これはよく説明しているように思われる。

　部下の間のいじめが双方向でおこなわれ、部局が内乱状態だったらどうであろうか。図3（a）、（b）、（c）の位階不整を比較すると、できるだけ多くの部下へ直接の指導をおこなってネットワークの位階不整を小さくし、組織の緊張を和《やわ》らげるべきだ、という結論になるだろう。諸部族の争いを収めてもらおうと、ヴァイキングを王に招聘《しょうへい》したロシアの建国神話なども、このようにして納得できるかもしれない。

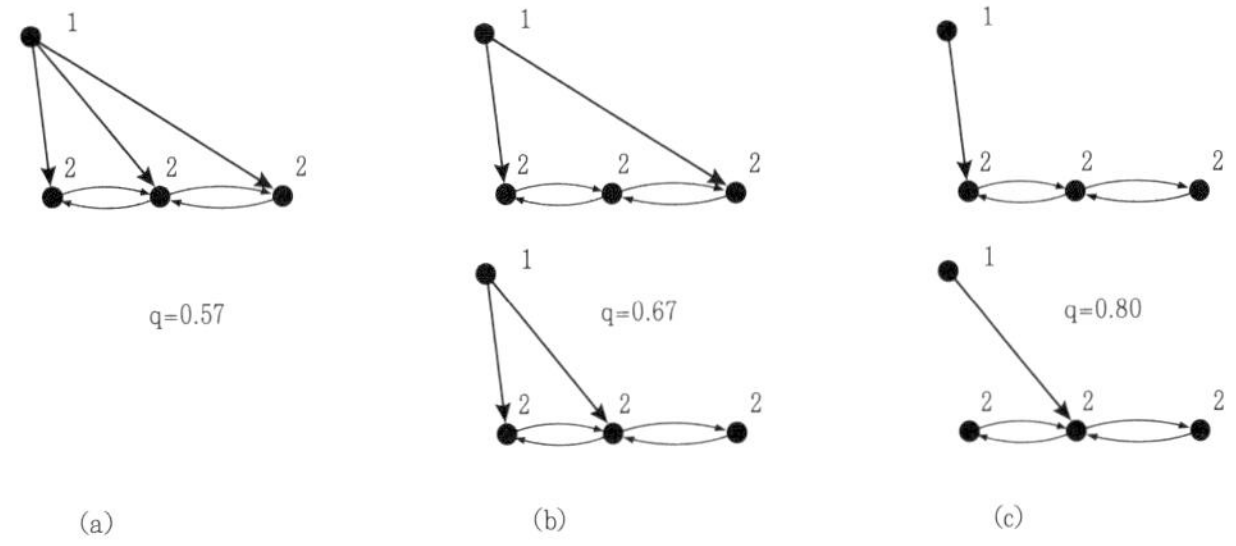

図3

＊

ジョンソンが位階不整の概念を発見したのは、サヴァンナ地域の色々な場所の生態系を調査していたときだった。気候変動に対する生態系の頑強性《がんきょうせい》が、場所ごとに異なる理由を探すうち、頑強性の弱いものほど生態系の捕食関係が複雑に入り組んでいることを、彼は見出した。これを定量化しようとして得たものが位階不整の概念だった。

人間界でも類似の現象を探していたジョンソンが発見したのが、不景気に対する各国の銀行ネットワークの頑強性であった。どの国でも中央銀行を頂点とする銀行間の資金の貸し借りのネットワークが存在する。このネットワークの構造から位階不整を計算して、それに対して各国での不景気時の補助的銀行員の解雇の比率を図示してみたのが図4である。アメリカを特異な例外として、位階不整と不況に対する脆弱性《ぜいじゃくせい》との緩《ゆる》い正の相関がみられたのである。

社長と同志の仲間たちで始めたヴェンチャー企業が、発展するにつれて組織が複雑になり、しまいに成熟した重い組織の大企業になって、安定とゆっくりとした衰退を生きる、などという典型的な企業史も、位階不整の概念を用いて定量的に調べることで新知見があるかもしれない。

*

ジョンソン位階の概念の力を示す最もよい例が、書籍の翻訳から作った方向つきネットワークの解析である。ユネスコのデータベースで、二つの言語の間で翻訳された書物2000万冊を調べることができる。これを用いて描かれたネットワーク構造が図5である。ノードは言語で、その大きさが翻訳された言語の多寡《たか》を表している。矢印は翻訳された書籍で、その太

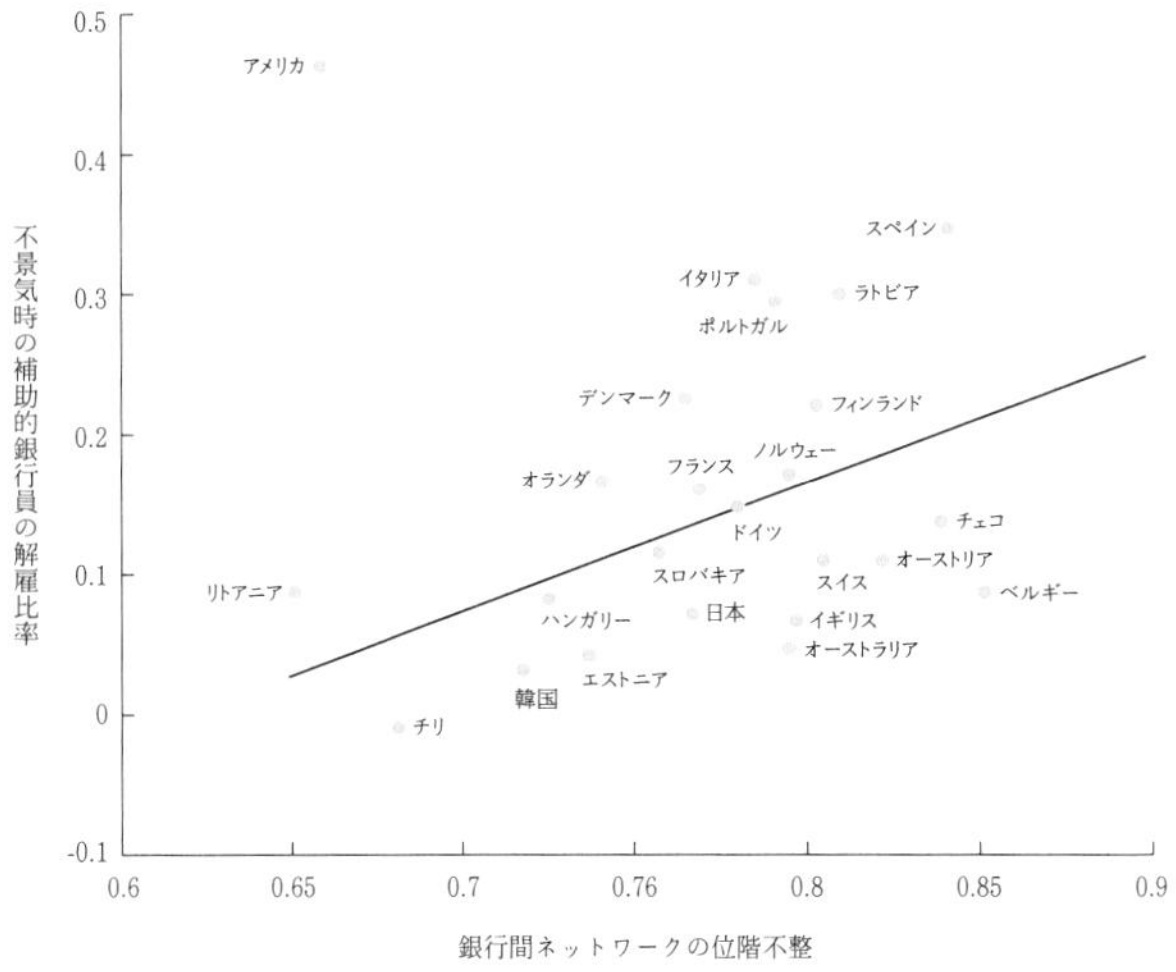

図4　解雇比率と銀行間ネットワーク（2005～2015年）

さが表すのは冊数である。これを見ると英語、フランス語、スペイン語、ロシア語あたりが大きな翻訳源となっていて、中国語がそれに次ぐ小規模の源流になっているように見えて、われわれ多くのもつ普通の常識が裏書きされるようである。

ジョンソンはこれに、彼の位階概念を加えてみることを考えた。それが図6（146ページ）である。リンクの太さが翻訳冊数に比例するのは同じだが、ノードの大きさはその言語で書かれて翻訳にかかった冊数に比例している。本質的な違いは、ノードの置かれた上下方向の位置である。それは左の目盛りに示された数の位階を表しており、（今までの例とは逆さまに）下に行くほどジョンソン位階でみた上位の言語、すなわち翻訳の流れの源

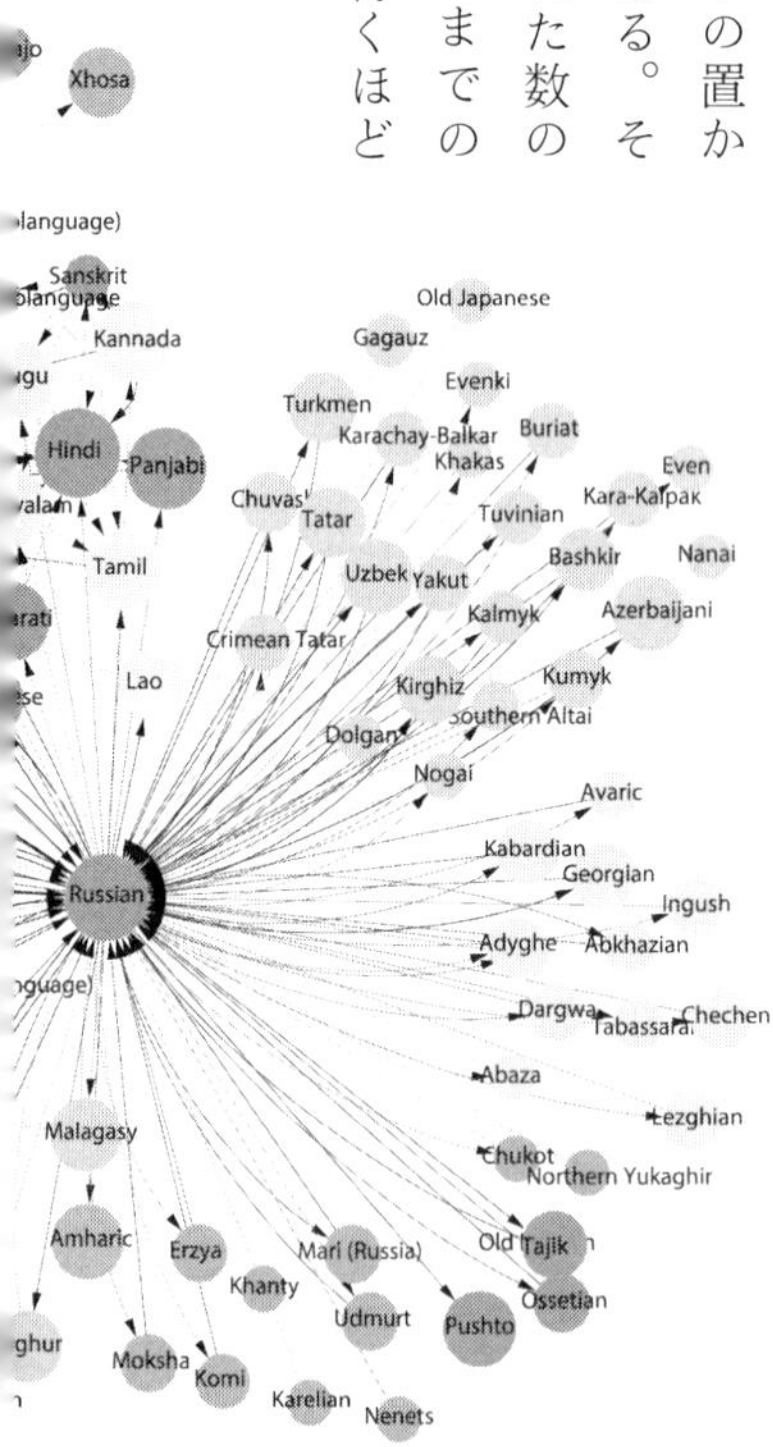

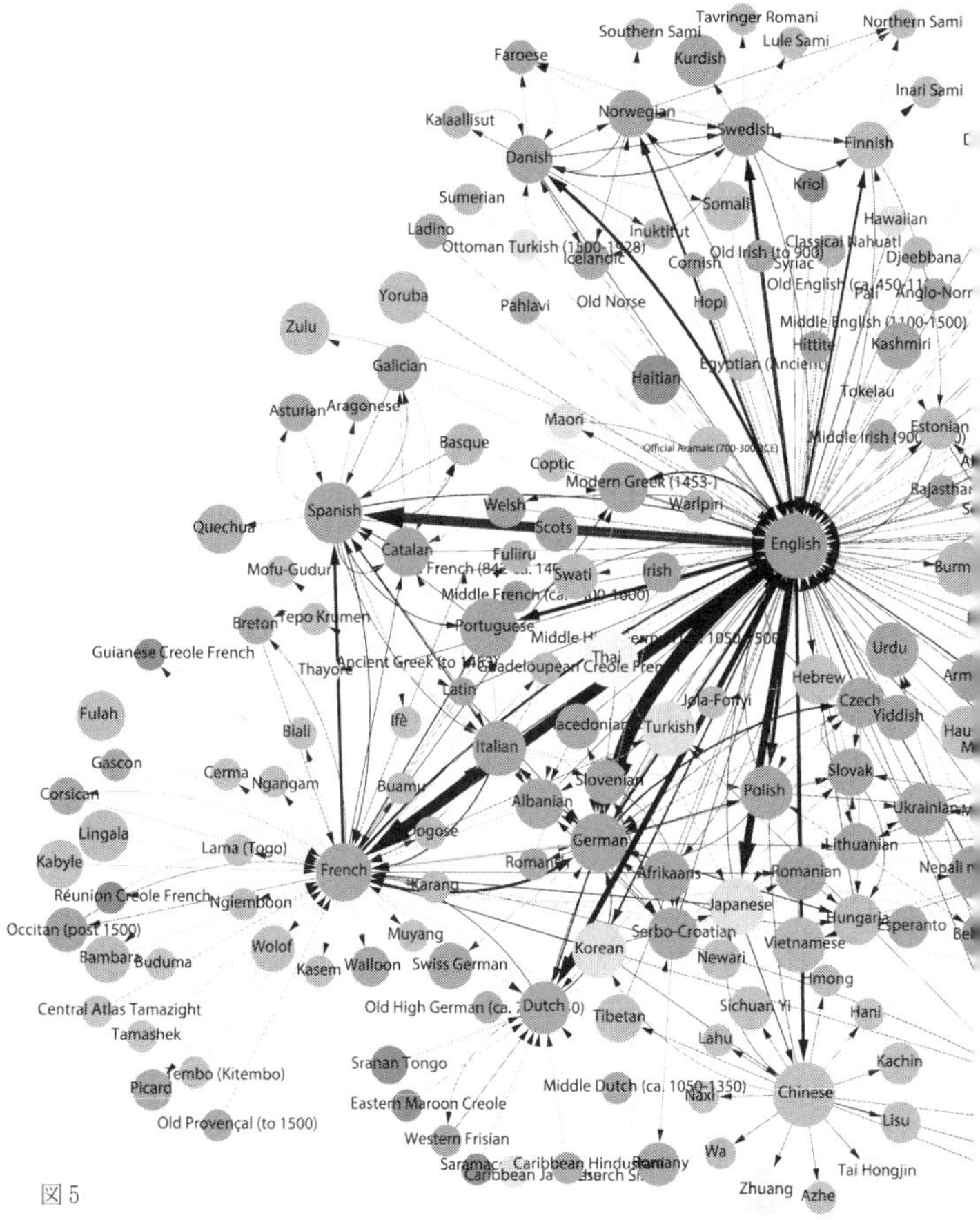
Tavringer Romani
Southern Sami
Northern Sami
Lule Sami
Faroese
Kurdish
Inari Sami
Kalaallisut
Norwegian
Swedish
Finnish
Danish
Kriol
Sumerian
Somali
Hawaiian
Ladino
Inuktitut
Classical Nahuatl
Ottoman Turkish (1500-1928)
Icelandic
Cornish
Old Irish (to 900)
Syriac
Djeebbana
Old English
Pali
Yoruba
Pahlavi
Old Norse
Hopi
Zulu
Middle English (1100-1500)
Hittite
Kashmiri
Galician
Egyptian (Ancient)
Haitian
Tokelau
Asturian
Aragonese
Maori
Estonian
Middle Irish
Basque
Official Aramaic (700-300 BCE)
Coptic
Modern Greek (1453-)
Rajasthani
Warlpiri
Spanish
Welsh
Quechua
Scots
English
Catalan
Fuliiru
Mofu-Gudur
Swati
Irish
Middle French
Breton
Tepo Krumen
Portuguese
Guianese Creole French
Thai
Thayore
Ancient Greek (to 1453)
Guadeloupean Creole French
Urdu
Hebrew
Latin
Jola-Fonyi
Czech
Fulah
Biali
Ifè
Yiddish
Italian
Turkish
Gascon
Cerma
Ngangam
Slovenian
Slovak
Corsican
Buamu
Albanian
Polish
Ukrainian
Lingala
Dogose
German
Lithuanian
Lama (Togo)
Kabyle
French
Afrikaans
Romanian
Nepali
Karang
Japanese
Réunion Creole French
Ngiemboon
Hungarian
Esperanto
Occitan (post 1500)
Serbo-Croatian
Muyang
Korean
Vietnamese
Wolof
Bambara
Buduma
Kasem
Walloon
Swiss German
Newari
Hmong
Central Atlas Tamazight
Old High German
Dutch
Tibetan
Sichuan Yi
Hani
Tamashek
Lahu
Sranan Tongo
Tembo (Kitembo)
Kachin
Picard
Middle Dutch (ca. 1050-1350)
Chinese
Naxi
Eastern Maroon Creole
Old Provençal (to 1500)
Lisu
Western Frisian
Wa
Tai Hongjin
Zhuang
Azhe

図5

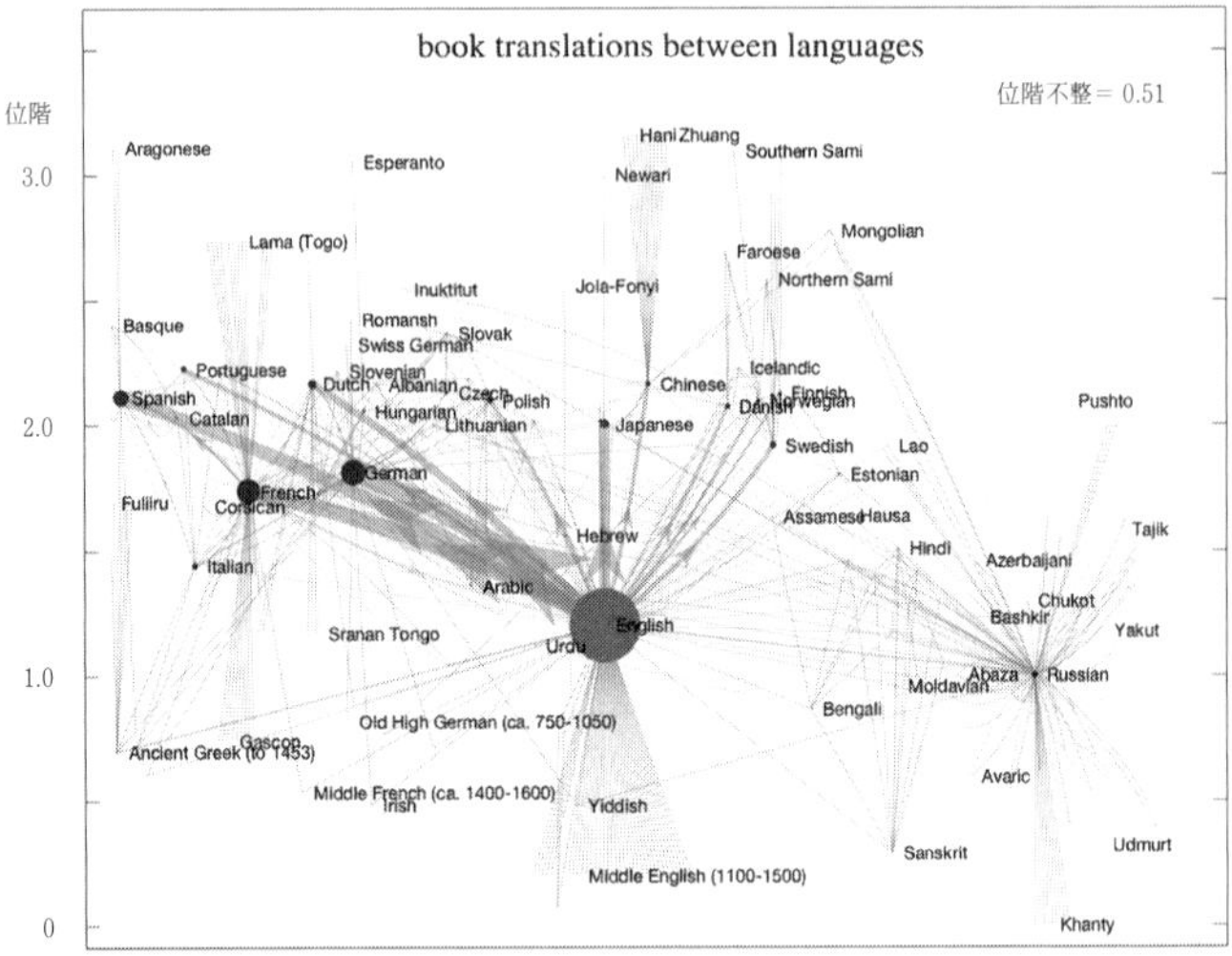

図6

流になった言語なのである。

　一目瞭然なのは、英語クラスターとロシア語クラスター、二つの書籍世界への分離である。フランス語、ドイツ語、スペイン語、日本語といった言語は小クラスターをなしているが、どれも英語書籍の「支配下」に置かれていることが見てとれる。対してロシア語は翻訳された書籍の絶対数こそ少ないが、独自のソースに発して、英語書籍からの翻訳は最小限で、ジョンソン位階で見ても英語より上位にある。

　二世界への分離以外にも、図を仔《し》細《さい》に見ると興味深い点がたくさん見つかる。英語書籍世界の根源には、もちろんギリシャ＝ローマの古典書籍があるが、それを近代に媒介したルネサンスの言語としてのイタリア語書籍の痕跡がはっきり見えている。日本語が、スペイン語やドイツ語、フランス語に比べて、比較的多くのロシア語書籍の翻訳をもつことも特記に値する。さらにまたイディッシュ語書籍が、英語、ロシア語両世界ともに隠然たる影響をもつことも見てとれる。源流の一つとしてサンスクリット語書籍の現代への隠微で深遠な影響も無視できない。

冷戦の始まりから75年近く、恐らくはもっとずっと長い時間をかけて、世の中は「西側書籍世界」と「ロシア書籍世界」に分かれていたのだ。それぞれのなかで育った二人は、世の中の多くの事象に対して別々のナラティヴをもっていて、相手のナラティヴは理解しづらい。場合によっては「あちらの世界の人」から発せられる物語の多くが、フェイク・ニュースに見えてしまうこともあるだろう。

お互いに最小限しか交わらない、違った書籍を読んで育った両世界の住人には、何が正義で何が邪悪か、何が正常で何が異常か、共有されている部分が思いのほか少ないのかもしれない。冷戦後30年以上続いた一極世界でのグローバル化、世界の統合は、両世界の思想や価値観の根本のところでの統合を生みださなかったようである。そのような世界においては普遍的な正義の観念は成立しない。一方の正義と他方の正義の間の正邪を決めるのは、どちらが相手を屈服させられるかという「力」のみである。それは末法《まっぽう》の阿修羅《あしゅら》世界に他ならない。

　もしもこの国際的不和と暴力の時代の根源に、そのような深い断層があるとすれば、希望は一体どこにあるのだろうか。

④ 生命

鳥籠が鳥を探しに出かけていった。

——フランツ・カフカ

＊＊＊＊＊＊
第16夜
＊＊＊＊＊＊

石に刻まれた銀杏

東京が一番美しいのはどの季節か、と国際学会で親しくなったチェコ人に訊かれた。銀杏《いちょう》の落ち葉で街中が黄一色に染まる11月、とわたしは答えた。

欅《けやき》やマロニエが、一週ほどもかけてゆっくり赤茶の葉を落とすのに対し、銀杏は目の前であっという間に、または人知れず一夜にして散りはてる。街路を一斉に黄金色で埋《う》めつくす銀杏は、異世界からの使者のようである。

寒暖差にも排気ガスにも強い銀杏は、意外にも人の手なしには自生できない絶滅危《き》惧《ぐ》種である。1億年前に地表を覆《おお》うほどに栄えた銀杏は、種子を食べ領土を広げてくれた恐竜の絶滅とともに、化石にだけ残る古生物となるところであった。中国の片隅に奇跡的に残ったものが、東アジアの諸寺院で神木として伝えられた。世界中の街路で銀杏が見られるのは、200年ほどの昔、世界を席巻《せっけん》しつつあった欧州人の想像力を捉《とら》えたためである。古生代の化石から抜け出てきた銀杏が、東洋の古い叡智《えいち》を宿すと信じられたのだろうか。泰西《たいせい》の詩人の書き物を読むと、そのように推測できる。

木の葉が落ちる、彼方《かなた》からのように
天空の遥《はる》かの苑生《そのお》が、枯《か》れたかのように
否定の身振りで、木の葉は落ちる

プラハ生まれの詩人ライナー・マリア・リルケの詩にあるのは、間違いなく銀杏の落ち葉のこと。はるか昔の高校時代、国立《くにたち》の街に散り敷く黄葉を窓外《そうがい》に見ながら、地学の尾又《おまた》先生からこう教わった。左右に揺れながら落ちてゆく様子は扇型の葉のことだろう、それに研修旅行でいったプラハの秋は銀杏の落ち葉で埋まっていたよ。そう語る尾又先生は「決定的な証拠写真」を見せてくれた。プラハ中心の華麗な建築の、アールヌーヴォー壁面の浮き彫りであった。そこで女神たちの姿を取り巻いていたのは、二つに割れた扇状の葉と、二つずつ房《ふさ》になった実、まがいようもない銀杏の文様であった。

銀杏は二度石に刻まれたのだ。一度は地質学的な累積《るいせき》で。もう一度は人間の美意識を虜《とりこ》にすることで。

今から30年ほど前、国際学会でプラハの数理物理学者パヴェル・エクスネル博士と偶然知り合った。興味が重なる部分が多く、翌年すぐ念願のプラハを訪れる機会を得た。十月半ばのプラハはもう木枯らしの季節である。尖塔《せんとう》の長い影の差す石畳《いしだたみ》の広場を黄葉が舞っていた。親友にして学問の師となったパヴェルとは、それから毎年のように行き来して、学生を交換し、多くの共著論文を書き上げた。東京を去り高知に隠れた無名の物理学者の人生行路を定めたのも、プラハ旧市街の石に刻まれた銀杏であった。

しかし「天空の苑生が枯れた」とは、なんという想像力だろう。ほどなく発見されることになる「宇宙線」を、リルケの詩的直感が見通したのだろうか。宇宙の星々は燃えつきると超新星爆発をおこし、枯れはてて中性子星やブラックホールとして冬ごもりに入る。爆発で飛びだした原子核が宇宙空間を満たし、昼となく夜となく、宇宙線として地球に降り注ぐのだ。

宇宙線は生物の遺伝子に作用し、累積して進化や絶滅の原因ともなる。何千万年の後、生態系の変化で人類が地表から消えはてたとき、銀杏もすべて死に絶えるのだろうか。それとも太古の時代のように、銀杏を食べる別な支配的生物が現れて、散り敷く銀杏の葉で、秋ごとに全地球が黄金色に輝きだすのだろうか。

リルケの詠った落葉とは、おそらくは、時や場所を超越した永《えい》劫《ごう》の宇宙的存在なのだろう。

＊＊＊＊＊＊
第17夜
＊＊＊＊＊＊

赤い砂漠の妖精の環

アフリカ南西海岸、またの名を「骸骨海岸《がいこつ》」は死の世界である。ベンゲラ寒流による大気の安定で降雨がほとんどなく、海岸1300kmにわたって赤いナミブ砂漠が広がっている。風と霧の支配する沿岸には、打ち上げられた鯨《くじら》の骨や難破船が散乱する。

内陸を150kmほど行くと草と低木がまばらに見えてくる。サヴァンナが始まるのだ。その砂漠とサヴァンナとの境界に不思議な光景が広がっている。藁《わら》色、薄緑色の一面の草原あちこちに、赤茶けた土が円状に露出している。直径は2mから20mほどと様々であるが、土の円環は見渡すかぎりに散らばっている。その様子はあたかも、無数に降り注《そそ》いだ星屑《ほしくず》のクレーターのようだ。「妖精の環」というのが、このあたりで牧畜をいとなむヒンバ族の呼び名である。

この奇妙な植生の謎の解明に20年以上心血を注いだ生物学者がいる。はるか彼方《かなた》の北ドイツ、ハンブルク大学のノルベルト・ユルゲンス博士である。

ユルゲンスは毎年撮影した写真を比較して、妖精の環が年々少しずつ大きくなってゆくのを見つけた。大きくなった円環がときどき消滅する一方、新しい小さな円環ができてくる。

妖精の環はこの乾燥地の生態系の鍵だ、とユルゲンスは語る。円環のなかの土が赤茶けているのは、そこに多く含まれる水のためである。その水分のおかげで、年間雨量わずか１００㎜ほどのこの乾燥地に多年草が生息しているのだ。いくつもの種《しゅ》からなる多年草は、露出部と接する円環の部分に特にたくさん、背丈が高いものが生えている。安定して存在する多年草は昆虫たちを、昆虫たちはトカゲやリス、そして鳥たちの生を支えている。妖精の環は目に楽しいだけではなく、この一帯の生態系に、一見貧弱な景観とは裏腹な意外な多様性を与えている、というのだ。

妖精の環はどうしてできたのか。ユルゲンスの答えは「スナシロアリ」であった。北から南まで１５００㎞以上にわたる地点で１５００以上の妖精の環の調査がおこなわれた。ほぼすべてにおいてつねに見出された昆虫は、砂地に棲《す》まうスナシロアリ

「プサモテルメス・アロケルス」一種のみであった。

スナシロアリは円環中の露出土の地下に巣を張っていた。そして幾度も円環上の草の根を食いちぎる現行犯の姿で観測された。スナシロアリが食べ残した草の残骸、そして活動の跡を示す小さな盛り土を計測することで、彼らがまるで意図をもっているかのように、円環を外へ外へとひろげていっている様子が浮かび上がる。円環のなかの裸《はだか》の土に偶然生えた草は、すぐに綺麗に掃除されてしまう。いくつかの円環のなかではスナシロアリを餌《えさ》とする肉食のアリの軍団も観測された。襲われて数を減らし絶滅に瀕《ひん》しながらも、スナシロアリは粛々と草の根を齧《かじ》って、円環をひろげていく。

シロアリとアリは習性が少し類似していて、ともに複雑な社会を作る真社会性の昆虫である。しかし系統からすると全く別の生物で、アリがハチの近縁種なのに対し、シロアリに近いのはゴキブリである。

一つのシロアリの巣には、全員の母である女王一匹に加えて、彼女の定まった夫である王が一匹いる。次世代を担《にな》う王女たち、王子たちを除けば、その他のシロアリは労働者または兵士である。アリとの大きな相違は「男女同権」と「より進んだカースト分化」である。王族だけでなく、労働者にも兵士にもメスとオス両方がいる。完全に不妊《ふにん》化されていて番《つが》うことはできず、働きぶりに男女の区別はない。シロアリは草食であるため、労働シロアリは鋭い顎《あご》をもたず、特別の攻撃用の顎をもつ兵シロアリとの差は歴然としている。

シロアリの人生は単調に見える。労働シロアリはひたすらに植物のセルロースを噛み砕き、巣にもちかえる。女王と王は、巣の最奥の部屋を決して出ることなく、ひたすら卵を産み続ける。兵シロアリは別の兵シロアリに出会うと匂いを確かめ、余所者《よそもの》だと分かった途端攻撃を始める。仲間の兵がすぐに駆けつけ加勢する。しかし余所者とは誰だろうか。

兵士たちが戦うのは、近隣に巣をもつ別の王国の兵士たちである。人の目には見えなくとも、一つの妖精の環の地下には、一つのスナシロアリの王国がある。王国どうし領土を巡って絶えず争い続けているのである。円環と円環の間の草地は、兵シロアリたちの国運をかけた戦場である。たくさんの兵士を抱えた大きな王国は、小さな王国を打ち負かして滅ぼしてしまうだろう。そして最後に残るのは、軍事力の拮抗《きっこう》した、どれも同じくらいの大きさの王国だけだろう。それこそが、類似した多くの妖精の環で草原が埋《う》めつくされている理由なのだ。そう論ずるのはプリンストン大の数理生物学者、コリーナ・タルニータ博士である。彼女は生物界におけるパターン形成研究の、若き第一人者である。

タルニータは妖精の環でいっぱいの草原の空撮写真から「ヴォロノイ図」を作ってみた。隣り合った二つの円環の中心から、等距離の点を集めた直線を引く。それは二つの王国の国境線をおおよそ表している。円環二つのすべての組み合わせでこの直線を引き、つなぎ合わせるとヴォロノイ図が完成する。こうして描いたスナシロアリの諸王国の地図を見て、各王国がいくつの隣りの国に接しているかを、タルニータは数えあげた。その数の平均はおよそ6であった。これは平面の「最密充塡《じゅうてん》」、すなわちパチンコ玉を箱いっぱいに一段詰めた配置と同じである。シロアリたちの血みどろの戦いの結果、草原の資源は最も効率的に、諸王国の間で分割されるのである。

女王から末端労働者まで、王から前線の兵士まで、全員が王国の維持拡張のため、私を滅して生きるシロアリたち。近未来の人間を待つディストピア社会のようなしくみが、彼ら自身の大きさの何十万倍というスケールで、妖精の環の草原の不可思議な景観を作り上げている。自ら意図も意識もしない大義に捧《ささ》げられたスナシロアリの灰色の人生。それはなんと哀しくなんと愛おしいのだろう。

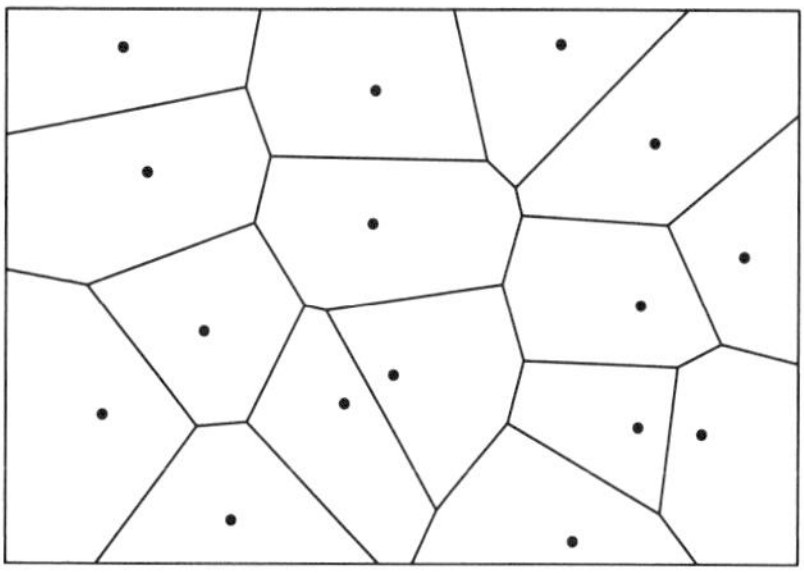

ヴォロノイ図

南半球のナミビアの一月は夏である。40度を超える暑さ、湿気で重たい空気。湧《わ》き出す雲で暗くなった空。それは待ちに待った雨季の訪れである。大地にエネルギーを打ちつけて轟《とどろ》く雷、数時間にわたる水甕《みずがめ》を覆《くつがえ》したような豪雨。突然に雨がおさまった青空に映える虹。

数日の雨が景色を一変させる。麦藁色は消えて草原が新緑で満たされる。ピンクや紫の野花が混じる。どこに隠れていたのか、黄色の花が大地の一角を埋め尽くす。爽《さわ》やかな風が吹き渡り、熱帯の艶《あで》やかな花々が一斉に萌《も》え出し、空気は強い香りでいっぱいになる。シマウマたちが、そしてエキゾティックな角のオリックスたちが、妖精の環の草を食《は》んでいる。それはまさに地上の楽園である。

初めてナミビアを訪れ、この夢のような光景に遭遇して、青年科学者ノルベルト・ユルゲンスは言葉を失った。目には涙が滲《にじ》んだ。そして彼の人生は定まった。

ナミビアの天国的な雨季は短い。すぐに始まる乾季に備えて、動物たちに休む間はない。そしてスナシロアリの巣にも喜ばしい雰囲気が訪れる。新しい翅《はね》の生えた王女シロアリたち、王子シロアリたちの結婚飛行が始まるのである。隷属の哀しみも灰色のディストピアもたんなる幻想だった。大空で二匹づつ番いになったのち、草原のどこかに降り立ち、二人して新しい王国を始めるのだ。おぼつかない足取りながら華やいで、彼女ら彼らが順次巣から出てくる。

飛び立ってゆく王女たち、王子たち。こうして赤い砂漠に、新しい生命のサイクルが始まるのだ。

＊＊＊＊＊＊
第18夜
＊＊＊＊＊＊

バックランド司祭と聖蹟

19世紀初頭のロンドン、王室の墓所のあるウェストミンスター寺院にウィリアム・バックランドという主任司祭がいた。ここの主任司祭というのは院長につぐ顕職《けんしょく》であって、彼は国家の重要人物ということになる。彼は鉱物学や古生物学にも詳しく、家屋敷は博物館さながらに、生物、無生物を問わず標本でいっぱいであった。バックランドが目指したのは、大洪水その他の聖書に記述された事績を、地質学的に証明することであった。恐竜の骨の発掘を自らおこない、恐竜についての世界最初の本にまとめたのも、すべてそのためであった。

バックランドには奇癖があり、それは目にするあらゆる生き物を口に含み味わうというものであった。家にある生物の標本も、すべて彼の口に入ったものと思われてい

る。生き物の全貌を知るのには、それらを味わうことが欠かせないと考えたのかも知れない。世の中で一番不味《まず》い生き物はモグラと黒《くろ》蠅《ばえ》だと、まわりに語っていた。ハーコート卿の晩餐会で、邸宅の収集品のなかにあったルイ14世の心臓のミイラの展示の前に立って、まわりが制止する間もなく手を出し、悠然《ゆうぜん》と心臓を齧《かじ》ったことが記録に残っている。フランス王の心臓の味についての、バックランドの感想は伝わっていない。

息子をともなってのドイツ旅行から帰路、彼らはコンパートメントで見知らぬ紳士《しんし》と一緒になった。三人とも眠りについて少ししたとき、息子が目を覚ますと、父のカバンから何匹ものアカナメクジが這《は》い出していた。一匹は眠りこけたままの相客の紳士の禿頭《はげあたま》を這っていた。息子に起こされたバックランドは、落ち着き払ったまま、禿頭の上の一匹を除いたすべてのナメクジをカバンに戻した。紳士を起こして驚かすのは失礼に思えたので、二人はそのままコンパートメントを出て、次の停車駅で降車した。バックランド親子のその日の夕食の前菜を推測するのは容易《たやす》い。

南イタリア訪問中のナポリの教会での出来事である。バックランド司祭は聖堂入口前の一角に案内された。大理石の床の窪《くぼ》んだ部分に赤黒い血痕《けっこん》が見える。ここはさる聖者の受難があった場所で、いくら掃除をしても、数日するといつも血痕が再び現れるというのだった。バックランドは床にやにわに跪《ひざまず》くと、大理石の湿《しめ》った痕跡の部分に舌を当てた。再び立ち上がると明るい顔で語った。この味は人の血ではありません、コウモリの尿《にょう》です。

第18夜
バックランド司祭と聖蹟

＊＊＊＊＊＊
第19夜
＊＊＊＊＊＊

メンデルと剽窃とフィッシャー統計学

まるで真理に仕える祭司であるかのように、私心を捨て力を合わせ、世界の成り立ちについての仮説を立てる。仮説を実験で検証し、実験結果に触発されて新たな仮説が立つ。そのようなくり返しが自然界の神秘のヴェールを一枚一枚剝《は》がしてゆく。理想化された科学の進歩はこんな様子だろう。もちろん科学者も名誉欲と偏見にまみれた通常の人間であって、現実の科学はそのような理想のサイクルからはほど遠い。

1866年、オーストリア帝国モラヴィア地方ブリュンの街の修道院司祭グレゴリー・メンデルが、「植物の雑種に関する実験」と題する論文を『ブリュン自然科学会誌』に発表した。そこにはエンドウマメを用いた実験から、今日の遺伝学の基本となる「メンデルの法則」を発見した事情が詳述されている。科学界の反応は皆無であった。当時の生物学界には論文に登場する確率統計を理解する者がいなかったのである。それはウィーン大学のドップラーのもとで数学と物理学を修めたメンデルには、思いも及ばない点であった。ほどなくブリュン修道院長となった彼には、もはやエンドウマメの研究を続ける暇はなかった。

35年の時が経ち機が熟した１９００年、アムステルダム大学の植物学者ユーゴー・ド・フリースが、「雑種における分離の法則について」という論文を、フランス国立科学アカデミー会誌に発表した。実験に用いた植物が80種類に増えている点を除けば、内容はメンデル論文と同一であった。４ヵ月ほどして、ド・フリースはテュービンゲン大学の生物学者カール・コレンスからの手紙を受けとった。なかにはコレンスの論文が同封されていた。コレンスが類似の実験をおこなって同じ結果を得ていること、さらにはコレンスが図書館で見つけた35年前の先行論文のことが書かれていた。発見の名誉はモラヴィアの司祭メンデル氏に帰すべきで、それを二人とも論文に明記しなければいけないだろうというのであった。

ド・フリースはこのようにして「世紀の剽窃《ひょうせつ》者」の汚名を免《まぬが》れた。彼が１８９０年ごろすでにメンデルの論文を読んでいて、それに触発されて自分の実験をおこなったことが、その後の調査研究から判明している。

同年末にはウィーンの農学者エーリッヒ・フォン・チェルマークが、独立に同様の結果を得たとの発表をおこなった。メンデルの法則は遺伝学の基盤である、との認知が学界全体に広がっていった。ちなみにチェルマークの論文では、メンデル、ド・フリース、コレンス、すべての名前が引用されている。

＊

現代統計学の開祖ロナルド・フィッシャーが1936年、『科学年報』誌上に「メンデルの法則は再発見されたか」と題する論文を発表した。メンデルの実験結果に捏《ねつ》造《ぞう》が混入している、との疑惑がそこに書かれている。統計学的にみてメンデルの実験結果が「理論に合いすぎている」というのである。話の要点はこうである。

コイン投げをやると表が上になる確率が50%、裏が上になる確率も50%である。実際に10回コイン投げをやって表が5回、裏が5回出たとする。そしてもう一度10回コイン投げをやって表5回、裏5回出たとする。さらにもう一度おこなってまたしても

表5回、裏5回出たとしたらどうだろう。どう考えてもこれはイカサマだと誰でも思うだろう。確率事象では結果はばらつくはずだからである。そして実はどの程度ばらつくべきかにも統計学的法則があるのだ。

今の例でいうと、統計学はこう告げている。10回投げて表裏両方5回出る確率は25％、一方が6回他方が4回になる確率は40％である。さらに一方が7回他方が3回となる確率は24％、そして一方が8回他方が2回の確率は9％となる。するとコイン10回投げを3度くり返して、毎回表裏がぴったり5回ずつ出る確率は$(0.25)^3 = 0.0016$、すなわち1・6％しかない。今のコイン投げはイカサマだと、98・4％の確度をもって言えるわけである。

フィッシャーの計算によると、メンデルの実験で、論文にあるような「良すぎる」結果が得られる確率は3万分の1だという。そして論文の結論部分に奇妙な

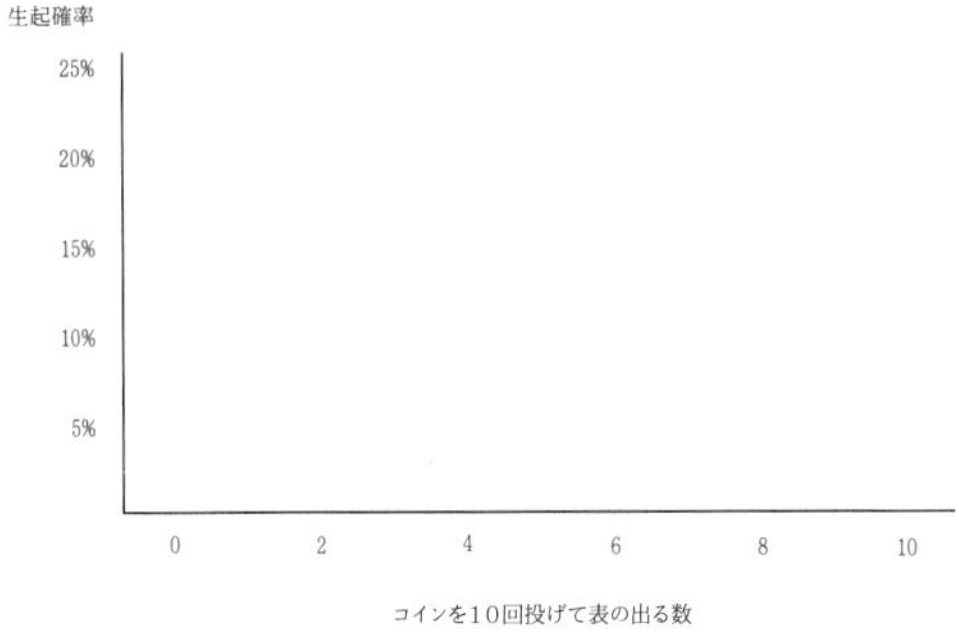

推測が述べてある。「メンデルの実験は論文の通りにおこなわれたのだろう。結果を集めて記録した実験助手たちが、あらかじめ理論の予想を知っていて、それから外れた結果を廃棄したり改竄《かいざん》して記録したのかもしれない」というのである。助手に責任をなすりつけるこの言明に、証拠は特に挙げられていない。

メンデルの画期的発見自体は揺るがないが、今日の科学倫理に照らして論文を調査すれば、そこには何らかの研究不正があったと結論せざるをえない。どのような事情があったにせよ、今なら修道院長辞任は確実である。これはメンデル自身についても、さらにいえば今日の研究倫理についても、多くのことを考えさせる事例だろう。

ロナルド・フィッシャーは天才的数学者にして生物学者であったが、彼が信奉していた優生学思想に発する各種発言は、現在では研究倫理上問題にされそうである。子供の数に応じた補助金を高所得層限定で出すべきとの、彼の提案が知られている。所得の低い階層で出生率が高く、高い階層で少ないのは国家を危うくするというのである。今ならSNS上で炎上して教授職を辞任せざるをえないだろう。ちなみに彼自身8人の子供を抱えて、世間体を保つのが財政的に苦しかったという。

今日の科学は、各国の国家予算の何割かを割いて、何十万人の研究者を投入してお

第 **19** 夜

メンデルと剽窃とフィッシャー統計学

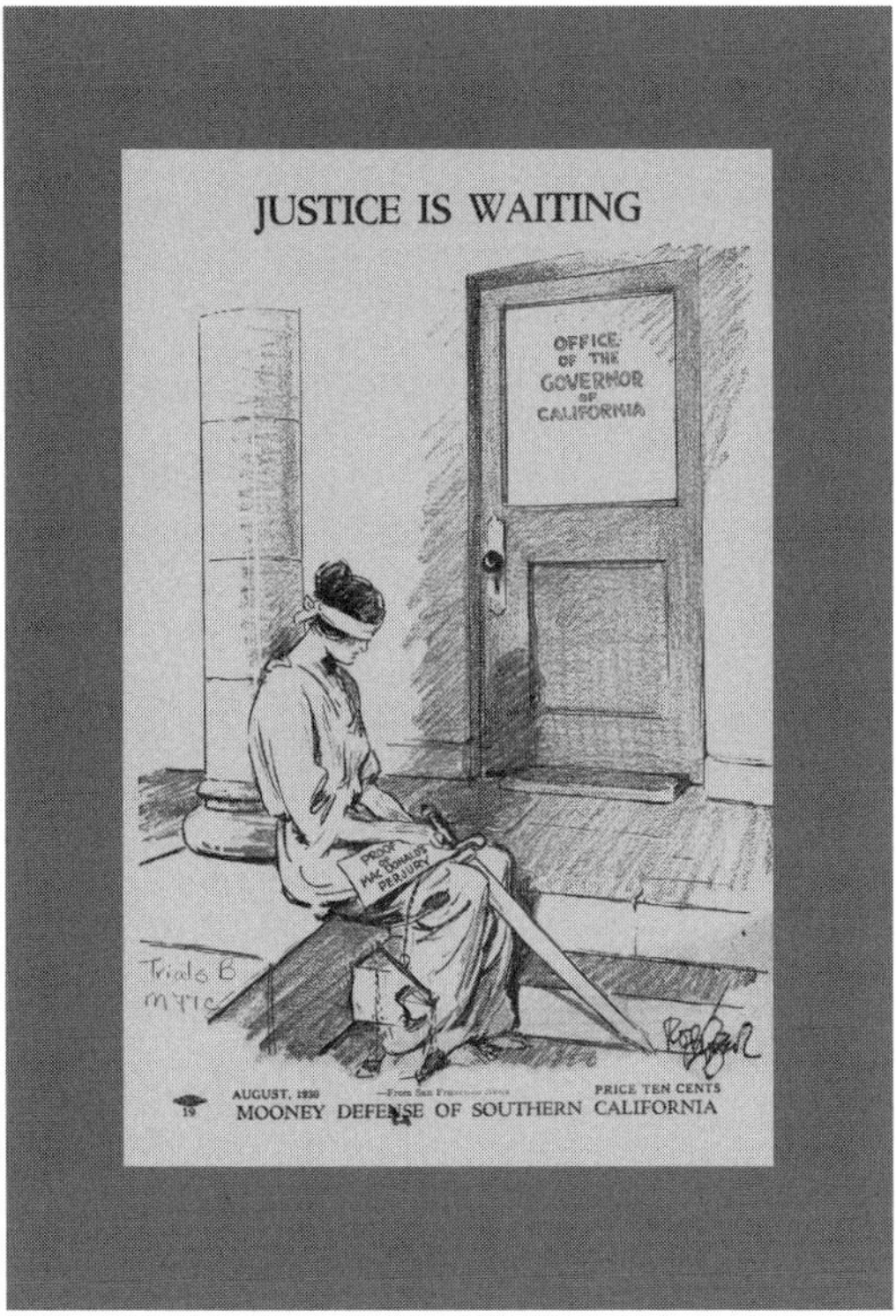

こなわれる大事業である。名誉と権威と多額の資金が関わる今日の科学では、研究不正や研究倫理違反も規模が大きくならざるをえない。権威が高いとされる有名国際研究雑誌において、ランダムに検査をおこなったところ、研究結果の再現率が5割を切ったという話も仄聞《そくぶん》する。

科学研究の制度化とともに研究者は職業となり、アマチュアや好事家の入る余地がなくなってくる。論文数や引用数といった代理指標《しひょう》の一人歩き、研究活動の席次争い化、椅子取りゲーム化が起こってくる。学界内の権威の序列づけや研究資金配分に代理指標が用いられ始め、それが研究不正や倫理的腐敗の温床《おんしょう》となる。研究界内の競争が時の政治権力と絡《から》んで、科学自体を弾圧した歴史的事例さえある。「アーリア科学」や「ルイセンコ遺伝学」を思い起こせば十分だろう。

剽窃や捏造は科学の誕生とともに発生し、科学の制度化とともに拡大した、と考える他はない。幸いなことに今のところまだ、虚偽が真理を圧倒して科学が無効になる段階には至っていない。科学者の個々人の欠陥や非人間性を超えて、今後も科学の方法が真理への接近を保証し続けられるか、それはわれわれ自身の智慧《ちえ》にかかっている。

第19夜
メンデルと剽窃とフィッシャー統計学

* * * * * *

第20夜

* * * * * *

インドの鶴の神秘

バラモンたちが聖典ヴェーダのマントラを唱《とな》えていた往古のインドでの出来事である。ガンジスのほとりにて、2羽のアネハヅルが踊《おど》る恋のダンスに見惚《みほ》れている人物がいた。のちに「最初の詩人」と呼ばれることになるヴァールミーキである。優雅な情景は木陰から突然に放たれた狩人の矢の音に破られた。雄ヅルが斃《たお》れ、雌ヅルは鳴きながらその上を旋回した。ヴァールミーキの口から、人間が初めて記したとされる韻《いん》が流れ出た。

मा निषाद प्रतिष्ठां त्वमगमः शाश्वतीः समाः।
यत्क्रौञ्चमिथुनादेकमवधीः काममोहितम्॥'

愛の無垢《むく》の　ただなかの　幸せの鳥　射たる汝《なんじ》よ
永劫《えいごう》の　長き時にも　安らぎの　訪れることなかるべし

韻律「シュローカ」はこのように誕生した。これをきっかけにヴァールミーキは長編叙事詩ラーマーヤナの執筆を始めたのである。インドの神話世界において、ツルは愛と長寿の象徴である。春のある日にアネハヅルの姿が一斉《いっせい》に消えてしまうことを、ヴァールミーキは知っていた。しかし彼らがどこから来たのか、それを知る者はまわりに誰もいなかった。

近代以前にアネハヅルの来し方を知っていたのは、ヒマラヤの北の麓《ふもと》、ネパールに住むシェルパ族だけであった。毎年秋口にこの「風の鳥」が、上昇気流に乗って信じられない高さに舞い上がるのを、ヒマラヤの尾根を越えて南に向かうのを、彼らは見ていたのである。

*

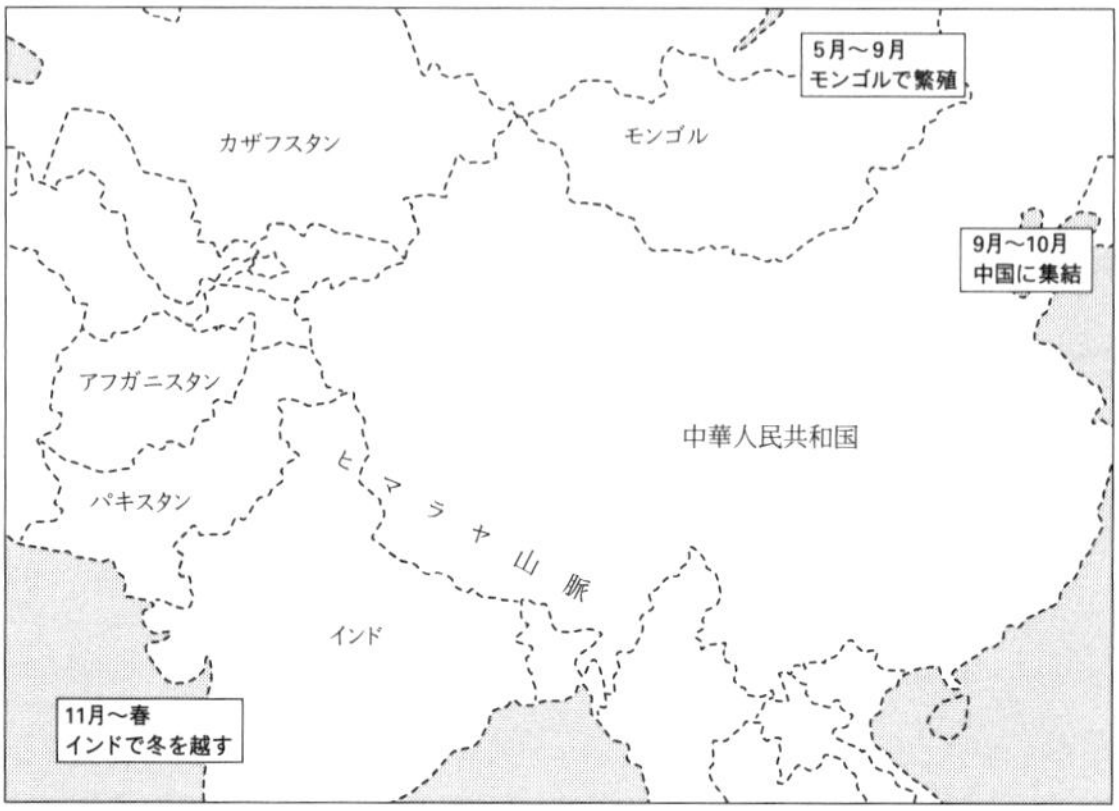

　20世紀になって初めて、この奇跡の渡り鳥の生態が詳《つまび》らかになった。アネハヅルは春と夏とをモンゴルの大草原で遊牧民たちの友として過ごす。夏の終わりに何百羽何千羽という大群が、中国は内モンゴルのいくつかの地点に集結した上、南への大移動を始める。ヒマラヤの５０００ｍの峰々を越えてインドに向かうのだ。一月《ひとつき》ほどをかけての４０００ｋｍを超える旅である。インド西北部ラジャスタンからグジャラートの村々で暖かい冬を過ごしてのち、春になると再び北を目指す。アフガニスタンのカイバル峠を抜け、チベット高原を迂回《うかい》しての６０００ｋｍ、一月半ほどの旅である。卵を産み雛《ひな》を育てるためにモンゴルの草原に戻

るのだ。

往路と復路が異なって経路がループ状になるのは、渡り鳥では普通にみられる現象である。しかし西廻りの楽な道を知るアネハヅルが、何故にインド飛来にあたってだけ、ヒマラヤ越えの苦行をおこなうのか、それはやはり謎である。

唱えられている説の一つによると、アネハヅルの渡りの経路は1億年ほど昔にすでに定まっていたという。7000万年前に大きな島であったインドが、プレート移動でアジア大陸にぶつかってヒマラヤ山系が形成されたときも、隆起が何千年にもわたるゆっくりした過程だったため、ツルは経路を変えることなく、高度差と希薄な空気に適応していったというのだ。

この説をある意味で補強するのが、上昇気流の季節変化や植生《しょくせい》の季節変化を考慮した最近の研究である。オーストラリアのディーキン大学のバトバヤール・ガルバルト博士たちは、仮にアネハヅルが今と逆回りの経路を辿るとすれば何がおこるかを推測してみた。カイバル峠廻りの仮想的な秋の南下では、実際に起こる春の北上に比べて植生指数がずっと低く、アネハヅルの餌《えさ》となる穀類や昆虫がずっと少ないと計算された。また春先に南からヒマラヤ南面を越える仮想的経路では、現実の秋のヒマラヤ北面からの南下時に比べて、上昇気流がずっと弱いと判明した。つまり現在の地理的状況にあっては、またヒマラヤが隆起する最中の幾千万年前の歴史的状況にあっても、時計回りのループをゆく現実の渡りの経路は、糧食《りょうしょく》の面でも飛翔エネルギー節約の面でも、逆回りをゆくより、アネハヅルにとって有利だというのである。

他のツルと比較したとき、体の小ささや高地の低酸素大気に適応した肺の発達などから考えて、ヒマラヤを越えてゆく天空の路は、アネハヅルにとって恐らくそこまでの苦痛ではないのかもしれない。どのみち餌の少ない秋のカイバル峠越えの遠回りの経路より、こちらの方がまだ楽な経路なのだろう。

＊

ヒマラヤを越える渡りの経路を何千万年も変えずに守ってきたアネハヅルであるが、インドに降り立ってのちの経路に関しては、20世紀になってから大きな変化があった。それはたった一人の男の始めた事績《じせき》に起因する。

時は1958年、インド北西のパキスタンと国境を接するラジャスタン州、タール

第20夜
インドの鶴の神秘

DEMOISELLE CRANE.
Grus virgo (*Linn.*).

砂漠の北端にあるキーチャン村に、オリッサ州から新婚の妻をつれて戻ったばかりの、ラタンラル・マルーという青年がいた。叔父の農園の手伝いをする手配で郷里の村に戻ってきたのだ。最初に言いつかった仕事は、村外れの荒地に来るリスや雀《すずめ》、そして孔雀《くじゃく》に餌をあげることであった。マルー家はジャイナ教徒で、あらゆる魂に等しく慈善をなすことは、ジャイナ教の教義の基本だったのである。

9月半ばのある日、ラタンラル青年に新しい客人が訪れた。それは8羽のアネハヅルの家族だった。白く長い肢体《したい》、真っ赤な目、羽と尾の黒い縁取り、目のまわりから出た白い羽衣《はごろも》を後ろに、胸から出た黒い羽衣を前に垂《た》らしている。優雅という言葉をそのまま姿にしたようなこの高貴な鳥を、ラタンラル青年はすぐに好きになった。それからアネハヅルの一家は一日も欠かさず餌を食べにきた。冬がすぎ春もたけなわ三月のある日、ツルの姿は突然消えた。寂《さび》しい半年がすぎた9月半ば、再び現れたアネハヅルは52羽に増えていた。そして次の年の9月、現れたのは１９３羽のアネハヅルであった。ツルの世界に何らかの社会組織があって、そこで情報交換がおこなわれているのだろうか。

数年が経ちアネハヅルの数が５００羽に近づくと、色々と問題があらわになってきた。ツルを食べようと集まった野犬から守るため、叔父に頼んで囲いのあるテラスの餌場を作ってもらった。餌の代金も馬鹿にならなくなり、村長に頼んで村からの予算支援を仰《あお》ぐことになった。12年してアネハヅルの数が5000を超え、村の予算だけでは賄《まかな》いきれなくなったとき、英国仕立ての服に身を包んだ顎鬚《あごひげ》の紳士《しんし》がマルー家を訪れた。ジャイナ国際商事協会の代表と名乗った紳士は、キーチャン村に資金援助を申し出た。ジャイナ教徒の有力な職業の一つが貿易商である。インドを世界を、渡り鳥の如《ごと》く飛び回る貿易商人たちにとって、ヒマラヤを越えて飛来するアネハヅルの保護活動以上に、ふさわしい資金援助先があろうはずもなかったのである。

キーチャン村で冬をすごすアネハヅルの数は、今では15000羽を超えている。すべてを始めた青年ラタンラル・マルーは、70歳を超えた2011年に惜《お》しまれつつ永眠した。ラタンラルのツルのテラスは、村の公的事業として今でも続いている。アネハヅルが目当ての観光客相手に、村にはホテルが数軒建つようになった。

＊

ツルに人をつなぐ不思議な力があることに、もはや疑いはない。アネハヅルの大冬営地を作り上げた青年の話は、徐々に学問の世界にも広がっていった。20世紀の終わりごろから、キーチャン村のアネハヅル広場に鳥類学者の姿が絶えることはなかった。彼らはインド各地から、イランから日本から、オーストラリアからイギリスから、オランダからフランスから、ロシアから中国から、アメリカからブラジルから、世界の至るところから集まってくるのだった。

鳥類学者たちの興味の的は、アネハヅル個体の性質であると同時に、集団としてのアネハヅルの社会力学である。アネハヅルの集団に秩序があり、複雑な社会的相互作用があることは、20m四方のコンクリートのテラスの餌場での、アネハヅルの行動の観察からも見てとることができる。とても一度にはテラスに収まらない数のアネハヅルである。入りきらなかったツルたちは、テラスのとなりの広場の待合場所に集まって、辛抱強く待っている。食べ終わったアネハヅルの集団がテラスを離れ飛び去ると、待っていた集団がリーダーに率いられてテラスに入ってゆく。彼らがいた待合場所には、さらに遠くで待っていた別の集団が移動してくる。ターミナル駅での電車の整列乗車さながらのこの光景が示唆《しさ》するのは、小グループごとのリーダーの存在、そしてそのリーダー間の関係を整える指揮系統の存在、といった階層的な社会構造である。20年目を過ぎたある年、テラスに最初に入るグループを毎日率いているのが、片脚のアネハヅルであることにラタンラルは気づいた。この片脚こそがキーチャン村に飛来する全アネハヅルのリーダー、王とも言うべき存在なのだろう。それから11年の間、王はつねにこの同じ片脚のツルであった。そして次の年、片脚の王はもう見当たらなかった。くわしい観察によってラタンラルは、胸の羽衣にマダラ模様のある新しい王を同定することができた。マダラ王はその後7年間君臨してのち、どうやらまた別の王で置き換わったようであった。

ヒマラヤ越えの途方もない渡りをおこなうのには、当然ながら強固な集団意思が必要とされるだろう。そのような集団意思は、複雑で洗練された社会組織を前提とせずには生まれてこない。そしてそのような社会組織を維持するために、何らかの緊密な情報交換の手段が必要だろう。ラタンラルのテラスで見つかったリーダーは、おそらく渡りを先導する役割も果たしていると推測できる。リーダーはヒマラヤ越えの渡りの経路を知り、その経路を自ら選択しているのだろう。そしてこの知識と意思は、群れの内閣ともいうべき一定数の指導的アネハヅルたちに共有されているはずである。

群れの意思を集約するリーダーはいかにして選ばれるのだろうか、指導部の構成はどのようにして誰が決めるのだろうか。

捕食者イヌワシに絶えず狙われているアネハヅルは、孤立したり家族単位では生き残ることはできず、何百何千という群れをなすことで初めて身を守ることができる。実際イヌワシが狙うのは、渡りの途上に群れから遅れて孤立した個体なのである。そうであればアネハヅルにあっては、秩序を維持する集団統率メカニズムを作り上げた群れのみが生き残っているはずである。

鳥類の社会の構造と力学の研究、鳥類集団内コミュニケーションの研究はまだ始まったばかりである。

*

インド亜大陸にみられるすべてのツルがヒマラヤ越えをするわけではない。パキスタンのシンド地方沿岸地帯で冬をすごすクロヅルは、渡りにあたってループを作らず、西シベリアを出てカザフスタンを縦断し、ボラン峠を抜ける平地のルートを往復する。

北東インド、ベンガル地方のオオヅルはそもそも渡りをせず、ベンガルの地で卵を産み雛を育てる。しかし渡りをしないからといって、諸生命を結びつける魔術的な力が、オオヅルにだけ欠けているわけではない。ベンガル文学を紐《ひも》解《と》き絵画を調べることで、気高さのシンボルとしてオオヅルがくり返し登場することを確認できる。ベンガル人の心に深い影響を及ぼしてきたオオヅルは、現在を遡《さかのぼ》ること180年前、いま一度人間界全体に神秘の深い刻印を残すことになった。

1842年冬のある日、抜けるような青空の正午、カルカッタ北方の村はずれの緑の田んぼ道を、一人の少年が歩いていた。彼の名はガダーダルといった。東の空に黒い塊《かたまり》が見えた、と思うまもなく暗雲が全天を覆《おお》い、あたりに薄闇が立ち込めた。黒い空を背景に、次第に大きくなる乳白色のかたまりが近づいてきた。それは無数のオオヅルの幾重《いくえ》にも重なった編隊であった。オオヅルたちの放つ白い光の神々しさに打たれて、少年はその場に倒れた。長じてのち聖ラーマクリシュナ・パラマハンサとなったガダーダル少年が、至高者の啓示《けいじ》を初めて受けた瞬間である。ヒンドゥー教とユダヤ教、仏教とゾロアスター教、イスラム教とキリスト教を統合した人道主義的神秘主義を奉《ほう》ずる、ラーマクリシュナ教団の開祖である。教団は今日、全世界250の支部に総勢200万の信徒を擁《よう》している。美の力が動物や人間、そして神々たちさえも結びつけたのだ。

参考文献

本来書物にあって語るべきことは、注釈や補足ではなく、本文のなかですべて語り尽くされるべきであろう。蛇足《だそく》の長広舌で読者諸氏を退屈させるのはやめて、最新科学をより詳しく知りたい読者のために、私の目にとまった範囲で、参考文献をいくつか挙げておきたい。

［天体］

■須藤靖『不自然な宇宙』（講談社ブルーバックス、2019年）

■村山斉『宇宙はなぜ美しいのか』（幻冬舎新書、2021年）

［極微］

■カルロ・ロヴェッリ、竹内薫＋栗原俊秀＝訳『すごい物理学講義』（河出文庫、2019年）

■吉田伸夫『量子で読み解く生命・宇宙・時間』（幻冬舎新書、2022年）

■ジム・アルカリーリ、ジョンジョー・マクファデン、水谷淳＝訳『量子力学で生命の謎を解く』（SBクリエイティブ、2015年）

〔街〕

■クロード・スティール、北村英哉＋藤原朝子
＝訳『ステレオタイプの科学』（英治出版、
２０２０年）

■ヤニス・バルファキス、関美和＝訳『父が娘
に語る美しく、深く、壮大で、とんでもなく
わかりやすい経済の話。』（ダイヤモンド社、
２０１９年）

〔生命〕

■更科功『若い読者に贈る美しい生物学講義』
（ダイヤモンド社、２０１９年）

■ポール・ナース、竹内薫＝訳『WHAT IS
LIFE?　生命とは何か』（ダイヤモンド社、２
０２１年）

初出一覧

第4夜　「ブラックホールの旅」、『學鐙』第119巻1号（丸善出版、2022年4月）
第5夜　「革命家のマルチバース」（「師走のマルチバース」を改題）、「ダイヤモンド・オンライン」（ダイヤモンド社、2021年12月24日配信）https://diamond.jp/articles/-/291298
第6夜　「シミュレーション仮説と無限連鎖世界」、『學士會会報』第946号（学士会、2021年1月）
第7夜　「デーモンコアと科学の原罪」、「ゲンロンα」（現「webゲンロン」）（ゲンロン、2021年8月6日）
第10夜　「同一者の識別と噴出」、『ゲンロンβ70』（ゲンロン、2022年2月）
第13夜　「多数決と冷笑家」、『世界思想』第49号（世界思想社、2022年4月）
第14夜　「インターネット世論の社会物理学」、『日本原子力学会誌ATOMOΣ』第63巻12号（日本原子力学会、2021年12月）
第16夜　「石に刻まれた銀杏」『東京人』第431号（都市出版、2020年11月）
第20夜　「インドの鶴の神秘」『中央公論』第136巻11号（中央公論新社、2022年11月）
ほかは朝日出版社ウェブマガジン「あさひてらす」掲載、もしくは書き下ろし。

出典

題辞　F. Kafka, Letter to Oskar Pollak, Jan. 27, 1904.
①天体 扉　F. Kafka, quoted in Walter Benjamin, Kommentare und Rezensionen zu Franz Kafka, Literarische und ästhetische Essays, Gesammelte Schriften, 2. Band, 2. Teil, (Suhrkamp,1972).
第1夜　M. Ackermann et al. (Fermi LAT Collaboration), "Measurement of the high-energy gamma-ray emission from the Moon with the Fermi Large Area Telescope", Phys. Rev. D 93 (2016) 082001.
第2夜　P. Molaro, "Francesco Fontana and the birth of the astronomical telescope", J. Astro. Hist. Herit. 20 (2017) 271.
第3夜　H.-W. Hsu, et al., "In situ collection of dust grains falling from Saturn's rings into its atmosphere", Science 362 (2018) 3185. D. G. Mitchell, et al., "Dust grains fall from Saturn's D-ring into its equatorial upper atmosphere", Science 362 (2018) 2236.
第4夜　S. Chandrasekhar, The Mathematical Theory of Black Holes, (Oxford U. P., 1983).
B. P. Abbott, et al. (LIGO Scientific Collaboration and Virgo Collaboration), "Observation of gravitational waves from a binary Black Hole merger", Phys. Rev. Lett. 116 (2016) 061102.
第5夜　須藤靖, 不自然な宇宙, (講談社ブルーバックス, 2019).
②極微 扉　F. Kafka, "Josefine, die Sängerin oder Das Volk der Mäuse", 1924.
第6夜　N. Bostrom, Superintelligence: Paths, Dangers, Strategies, (Oxford U. P., 2014). S. R. Beane, Z. Davoudi, M. J. Savage, "Constraints on the universe as a numerical simulation" Eur. Phys. J. A50 (2014) 148.
第7夜　W. R. Stratton, "A review of criticality accidents", Los Alamos Scientific Laboratory Report 3611 (1967).
P. Kapitza, "Viscosity of liquid helium below the λ-point", Nature 141 (1938) 74.
第8夜　P. K. Kuroda, "On the nuclear physical stability of the uranium minerals", J. Chem. Phys. 25 (1956) 781; ibid. 1295. J. R. De Laeter, K. J. R. Rosman, C. L. Smith, "The Oklo natural reactor: cumulative fission yields and retentivity of the symmetric mass region fission products". Earth Plan. Sci. Lett. 50 (1980) 238.

第9夜　G. Gamow, My World Line, (Viking, 1982).
第10夜　S. Saunders, "The concept 'indistinguishable'", Stud. Hist. Phil. Sci. B 71 (2020) 37.
③街 扉　F. Kafka, "Ein Brudermord", 1917.
第11夜　P. Turchin, Historical Dynamics: Why States Rise and Fall, (Princeton U. P., 2003).
第12夜　オマル・ハイヤーム, 小川亮作 (訳), ルバイヤート, (岩波文庫, 1979).
N. Arudi, E. G. Browne (transl), Chahar maoala, (Messr Luzac & co., 1921).
第13夜　S. Galam and T. Cheon, "Tipping point dynamics: a universal formula", Front. In Phys. 8 (2020) 566580.
第14夜　M. Cinelli, G. De Francisci Morales, A. Galeazzi, W. Quattrociocchi and M. Starnini, "The echo chamber effect on social media", PNAS 118 (2020) E2023301118. M. Yoshida, T. Sakaki, T. Kobayashi, Fujio Toriumi, "Japanese conservative messages propagate to moderate users better than their liberal counterparts on Twitter", Sci Rep 11 (2021) 19224.
第15夜　N. Beale, R. Gunton, S. Johnson, M. Miller, B. Sansom, R. MacKay, "Is Trophic Coherence a Structural Source of Economic and Financial Stability?", Feb 1, 2021 in Rebuilding macroeconomics, Economic and Social Research Council, UK. R. S. MacKay, S. Johnson and B. Sansom , "How directed is a directed network?", R. Soc. Open Sci. 7 (2021) 201138. S. Ronen, B. Gonçalves, K. Z. Hu, A. Vespignani, S. Pinker, and C. A. Hidalgo, "Links that speak: The global language network and its association with global fame", PNAS 111 (2015) E5616.
④生命 扉　F. Kafka, Die Zürauer Aphorismen, 1931.
第16夜　Y.-P. Zhao at al., "Resequencing 545 ginkgo genomes across the world reveals the evolutionaru history of the living fossil", Nature Comm. 10 (2019) 4201. Rainer Maria Rilke, Herbst, in "Das Buch der Bilder" (Axel Juncker Verlag, 1902).
第17夜　N. Juergens, "The biological underpinnings of Namib Desert fairy circles", Science, 339 (2013) 1618. C. E. Tarnita, et al., "A theoretical foundation for multi-scale regular vegetation patterns", Nature, 541 (2017) 398.
第18夜　E. O. Gordon, The life and correspondence of William Buckland, D.D., F.R.S., (John Murray, 1984).
第19夜　G. Mendel, "Versuche über Pflanzenhybriden", Verhandungen des naturforschenden Vereines in Brünn, Bd. IV für das Jahr 1865, (1866) 3. R. A. Fisher, "Has Mendel's work been rediscovered?", Ann. of Sci. 1 (1936) 115.
第20夜　B. Galtbalt et al., "Differences in on-ground and aloft conditions explain seasonally different migration paths in Demoiselle crane", Movement Ecology 10 (2022) 4. P. Jain, B. Jeenagar, S. N. Rajpurohit , "Conservation and management of Demoiselle crane anthropoides virgo at Kheechan in Rajasthan", in Faunal Heritage of Rajasthan, India, (Springer, 2013).

図版一覧

表紙　Abbott Handerson Thayer, FISH, study folder for book Concealing Coloration in the Animal Kingdom, 1950. (S) Illustration by Gelett Burgess, in The Rubáiyát of Omar Khayyám, 1902. (N)
本扉　G. P. Merrill, W. F. Foshag, Minerals from earth and sky v. 3, 1929. (S)
p. 9　Lang, Andrew, Ford, H. J. The olive fairy book, 1907. (I)
p. 13　Near side of the moon and far side of the moon by NASA's Lunar Reconnaisance Orbiter. (NASA/GSFC/Arizona State University).

p. 17 Illustration by Kay Nielsen in East of the sun and west of the moon, 1914. (National Library NZ on The Commons)
p. 19 Francesco Fontana, Novae coelestium terrestriumq[ue] rerum observationes, 1646. (I)
p. 21 M. Frederick, "Astronomy: interior of the Radcliffe Observatory, Oxford", 1813. (W)
p. 25 E. L. Trouvelot, The Trouvelot Astronomical Drawings, 1881-1882. (N)
p. 29 Rick Guidice, "Solar System Artwork". (NASA ID: ARC-1972-AC72-1279)
p. 34 Lai Fong, "The County of Edinburgh under full sail", 1895. (Wikipedia)
p. 38 "Milky Way with Black hole". (NASA ID: ARC-1985-AC85-0199-5)
p. 47 T. Wright, An original theory or new hypothesis of the universe. 1750. (I)
p. 53 Lorenz Stoer, Geometria et Perspectiva, 1567. (Eberhard Karls Universität Tübingen)
p. 57 Oluf Olufsen Bagge, "Yggdrasil", from Prose Edda, 1847. (Wikipedia)
p. 64 Blaise-Alexandre Desgoffe, "La bulle de savon. Phénomenes d'interférence...", 1883. (W)
p. 69 事故後に撮影されたスローティンの臨界事故時の状況の再現写真. Taken from "A Review of Criticality Accidents", LA-13638, Figure 42, page 75, Los Alamos National Laboratory. (Wikipedia)
p. 73 Atomic Bomb Test during Operation Crossroads, Army-Navy Task Force One, 1946. (R)
p. 77 初臨界の様子(1942年12月2日), U.S. National Archives and Records Administration. (Wikipedia)
p. 81 G. P. Merrill, W. F. Foshag, Minerals from earth and sky v. 3, 1929. (S)
p. 85 LeRoy Robinson, "rifle", c. 1937. (National gallery of art)
p. 92 Jost Amman, Perspectiva corporum regularium, 1568. (M)
p. 100 Sammlung geometrischer und perspectivischer, in Farben ausgeführter Zeichnungen, 36 Blätter umfassend. 16th century. (Herzog August Bibliothek Wolfenbüttel)
p. 101 Advertisement for the Pacific Coast Trunk Store. (California Historical Society)
p. 105 Maxfield Parrish, "And when they had ascended that mountain they saw a city than which eyes had not beheld any greater", 1909. (N)
p. 114 Illustration by Elihu Vedder, in The Rubáiyát of Omar Khayyám, 1884. (Smithsonian American Art Museum)
p. 119 Illustration by René Bull, in The Rubáiyát of Omar Khayyám,1913. (I)
p. 127 Giovanni Battista Bracelli, Bizzarie di varie Figure, 1624. (National gallery of art)
p. 135 W. T. Horton, "the gap", A book of images, 1898. (I)
p. 149 In the Aquarium, Belle Isle Park, Detroit, Mich. Detroit Publishing Company, 1907-08. (N)
p. 153 R. H. Francé, et al., Das Leben der Pflanze, 1906-1913. (I)
p. 156 Thorsten Becker, "Feenkreise im Marienflusstal/Namibia", 2000. (Wikipedia CC-by-sa-2.0-d)
p. 161 Richard Doyle, "The Fairy Queen Takes an Airy Drive in a Light Carriage, a Twelve-in-hand, drawn by Thoroughbred Butterflies", 1870. (M)
p. 163 W. L. Beasley, "A carnivorous dinosaur", Scientific American, vol. 97, no. 24, 1907. (L)
p. 165 P. M. Duncan, Cassell's natural history, 1876. (I)
p. 171 Mooney Defense of Southern California. Justice is waiting. 1930. (Yale Law Library)
p. 173 Albert Günther, Biologia Centrali-Americana, Reptilia and Batrachia, 1885-1902. (S)
p. 179 Lord Lilford, Coloured figures of the birds of the British Islands, 1885. (The Biodiversity Heritage Library)
p. 186 Dirk Salm, "Studie van drie veren", 1813-38. (R)

Image coutesy of: (I)=Internet Archive. / (W)=Wellcome collection. / (N)=The new york public library. / (R)=The Rijksmuseum. / (S)=Smithsonian Libraries and Archives. / (M)=The metropolitan museum of art. / (L)=Linda hall library.

全卓樹（ぜん・たくじゅ）
京都生まれの東京育ち、米国ワシントンが第三の故郷。東京大学理学部物理学科卒、東京大学理学系大学院物理学専攻博士課程修了、博士論文は原子核反応の微視的理論についての研究。専攻は量子力学、数理物理学、社会物理学。量子グラフ理論本舗／新奇量子ホロノミ理論本家。ミシガン州立大、ジョージア大、メリランド大、法政大等を経て、現在高知工科大学理論物理学教授、高知工科大学図書館長。著書に『エキゾティックな量子』（東京大学出版会）、『銀河の片隅で科学夜話』（朝日出版社）などがある。

渡り鳥たちが語る科学夜話
——不在の月とブラックホール、
魔物の心臓から最初の詩までの物語

2023年2月10日　初版第1刷発行
2023年3月13日　初版第2刷発行

著　者　全卓樹
装　幀　佐々木暁
装　画　François Schuiten
編集担当　大槻美和（朝日出版社第2編集部）
編集協力　平野麻美（朝日出版社第2編集部）
発行者　原雅久
発行所　株式会社朝日出版社
〒101-0065　東京都千代田区西神田3-3-5
TEL. 03-3263-3321 / FAX. 03-5226-9599
http://www.asahipress.com
印刷・製本　凸版印刷株式会社

ISBN978-4-255-01324-4　C0095